WITHDRAWN

献给 冬的孤独，夏的别离

金宇澄

广西师范大学出版社
· 桂林 ·

一五九〇 ○ 上海・云・上海

「我不甘心沉沦，挣扎着不愿被巨浪吞没，求生必须划到彼岸，我没有学会在激流中游泳，觉得筋疲力尽，忽而沉下，忽而浮起，需要切实的援手，来拉我一把。」

「去年一年痛苦，原想今年会好些，但让我失望。如果他能回来，我什么都不怕了，拙笔不能道出我心情之万一。」

三三九 ○ 我们回望

我常常入神地观看他们的青年时代，想到属于自己的青春岁月……

目录

我的父母

他们那时年轻，多有神采，凝视前方的人生，仿佛无一丝忧愁。他们是热爱生活的一对。

一切已归平静

　　母亲说，我父亲喜欢逛旧家具店，一九四八年在苏州买了一个边沿和四脚透雕梅花的旧圆桌、一个旧柚木小圆台，请店家刨平了台面，上漆，木纹很漂亮。

　　梅花桌子在一九六六年被抄走，柚木圆台一直在家，现放着我的笔记本电脑。

　　一九九〇年，父亲在卢湾区一旧家具店橱窗里看到有三张日式矮桌，样式相同，三张叠在一起。他走进店堂，穿过旧家具的夹弄，看这三张暗褐色的桌子。

　　店老板一般很"识相"，注重来客年龄、打扮、神色，不讲话。父亲想打听什么，但是没作声，最后怏怏出来，在这一刻，他感到自己真的老了。

"一定是日本租界的东西。"他对母亲说。

他的两颊早有了老年斑，这位昔日的抗日志士，已失去敏锐谈锋，即使面对他熟悉的"地下党"电视剧，也一般在沙发里坐着，不知是不是睡着了。

记得有一次，他转过脸对我母亲说："冷天里还穿法兰绒料子？白皮鞋？"

母亲耳聋，不习惯助听器，膝上堆着报纸和一本《中国老年》杂志，看一眼屏幕，没明白他的疑问。

这是我听到父亲唯一的不满，他的话越来越少了。

他曾是上海"沦陷"期的中共情报人员，常年西装革履，也经常身无分文，为失业苦恼。

"穿不起西装，总要有七八套不过时的，配背心、皮鞋，秋大衣不可以冬天穿，弄得不好，过去就叫'洋装瘪三'。"

他不许我吃日本料理，每提起深恶痛绝，"日本饭是最坏的东西"。或许，那是我母亲讲的，五十年前，他误将盘子里的生猪血当作番茄酱的原因。

出事那年，因"日共"某组织在东京暴露，很快影响到了上海的情报系统。某个深夜，父亲与他"堂兄"——他的单线联系人，几乎同时被捕。警车驶近北四川路桥堍，"堂兄"突破车门跳车，摔成重伤。

他被押至宪兵司令部（位于大桥公寓，据说一九四二年李白被捕也关押于此），由东京警视厅来人严刑审讯。他记住"堂兄"摔得血肉模糊的脸，始终坚称自己由金华来沪探亲，不明"堂兄"近况，本埠不认识其他人，无任何社会关系。金华是国民党地区，他讲了很多金华的细节，但不会说金华方言，所幸东京人员疏忽了这最重要的破绽。翌日，他被押往日军医院对质，"堂兄"已奄奄一息，只微微捏了他的手。两天后，"堂兄"在医院去世。

随后的一年，他被囚禁在上海提篮桥监狱。

日占时期，这座"远东第一大狱"仍以设计精良著称，整幢建筑通风通声，稍有异常响动，几层楼都听得清。新犯进门循照英制，三九寒天一样脱尽衣服，兜头一桶臭药水消毒。糙米饭改成日式分量，每餐一小碗。囚徒必做一种日式体操，平时在监室里跌跏一样静坐，不可活动。四周极为静寂，只有狱警在走廊里反复来回的脚步声，钟摆一样的规则。

有天傍晚，听到一日本看守低声哼唱，踱步经过他面前铁栅，歌词为俄文：

Эй Ухнем，Эй ухнем，Эй ухнем，Ещё разик ещё раз

（哎哟嗬，哎哟嗬，齐心合力把纤拉）

……

Разовьём мы берёзу, Разовьём кудряву

（穿过茂密的白桦林，踏着世界的不平路）

……

Эй ты волга мать-река，Широка и глубока

（伏尔加，可爱的母亲河，河水滔滔深又阔）

……

　　静坐狱中，歌声出自一敌方士兵之口，联想到词句的全部含义，他深感惊异。断断续续的《伏尔加船夫曲》，熟悉的旋律送入他的耳鼓。正是日苏极敏感时期，这位年轻日本兵，战前是干什么的？是学生？现实的隔阂，在熟知的歌声中搅动，产生难言的感受。

　　次年，他被解至上海南市监狱（即南车站路看守所）。一年后，解至杭州监狱。

　　两地都属汪伪管辖，等于嘈杂的菜市场，杭州监狱更甚，克扣口粮，犯人已到食不果腹的境地，必须依靠亲友接济度日。监室走廊里，每天摆有外来的馄饨担，也卖小笼、春卷、蛋炒饭、大肉面以及"包饭作"摊档，收受各类钞票或细软，付了账，或一个银假牙，小贩递进铁窗一碗三鲜面、"片儿川"或几个菜肉包，狱卒听之任之。一人在牢里吃，四面是饥肠辘辘的饿眼，几乎每天都有饿尸被附近的庙祝抬出去。

　　记得一个身披獭皮大衣的北方人，趾高气扬进监，出手阔绰，常常拿出钞票和首饰，从外面大馆子里叫菜，叫热毛巾揩面，终因缺少社会资助，懂得讨价还价，然后铢锱必较，数零钱吃馄饨面，吃廉价盖浇饭，最后无钱可拿，一件一件剥下衣衫以得充饥，没有接济，坐吃山空，最终饥寒而亡，死时蓬头垢面，仅穿了一套底衫裤，如缩毙街头的乞丐。

附近监室，囚禁不少身份复杂的英、美籍男女，基本失去西人风度，洋装和绒线衣每个缝隙里，蠕动着密密麻麻的虱子，除了被押走几个之外，不久都饿死了，没人管。

这期间，他得患重症伤寒、败血症、肺病、关节炎，头发大把脱落。所幸监外几位好友的接济，多方搭救，一年后被狱卒背出门来，保外就医。

他得以重返上海人间。他的年轻和活力，神奇地抵御了严重的疾病，恢复曾经的体魄和风貌。他依旧是情报系统必要的一环，他的联系人在法国公园、地地斯咖啡馆（DDS），以及三官堂桥的棚户里等他。

日本宣布投降的那天晚上，是他和朋友庆祝胜利的狂欢之夜。一群青年人开怀痛饮，在路上漫无目的闲逛，高声谈笑，无所顾忌。陶醉中走近西区，已是子夜了，只见附近绿树丛中某一幢大洋房，通体灯光雪亮，门窗大开，顿悟这是某大汉奸的宅第，于是大摇大摆推开铸铁院门，进入这所大房子。满地狼籍，宅主显然已逃匿，猫狗全无踪影，凌乱的大菜间里有几箱洋酒，众人打开箱盖，人手一瓶，巨大枝型吊灯照耀着一张张年轻人光彩夺目的面孔，于是歌唱起来，声震屋宇，一直闹到东方既白，一个个醉倒在细木地板上铺的波斯地毯上。等下午醒来，这幢折衷主义风格的豪宅仍不见一个人影，只有花园里小鸟在鸣叫。

父亲说，静安寺以西，也即"大西路"的"美丽园"，"沦陷"时期是汪伪要人最有名的"汉奸窝"，现只有上年纪的"老上海"才知道了。

父亲的两个大书橱，装有不少共产国际著作，列宁、斯大林文集，包括《九评》等等多本政论剪报，不少的线装本旧诗。初版红布封套《鲁迅全集》是母亲买的，与之相配是父亲的《饿乡纪程》、蓝丝绒面《海上述林》。他的阅读兴趣一直与时代同步，1940年代有高尔基《克里·萨木金的生平》，1950年代除了《静静的顿河》，还包括《三个穿灰大衣的人》、《拖拉机站站长和总农艺师》等苏式主旋律小说。他钟爱和敬佩俄国画家列宾的作品，有多本中译苏联美术评论，对苏联文化完全接受，包括苏联大马戏团、钢琴家和乌兰诺娃来沪演出，他都清晰地记得，并保存那些并不显眼的节目单。

"文革"初期，他裁开两大张红纸，大字书写"四海翻腾云水怒，五洲震荡风雷激"，贴在两扇玻璃门上，以示对运动的理解。没半个月，这几扇门被抄家的红卫兵多次打开，搬走大部分闲书、日记、相册，包括一对威基伍德洋青花瓷盘，一座铸铁少年像（记得背面常附有同色的蟑螂卵），一尊据说是真正宣德炉，等等，留下的也就是已经泛黄的共产国际理论著作，列宁、斯大林文集，《九评》等多本政论剪报，初版红布封套《鲁迅全集》。

一九七八年运动结束，开始"落实政策"，我父母的日记及几大册照相簿都已发还，盘子和零星器物自然不知去向。某一日，父亲接到通知，请他携带当年具结的被抄清单，去上海龙华机场认领图书。我和父亲兴冲冲赶到那个巨大的飞机库，发现库内是一个装满旧书破纸的超大堆栈，人头攒动，尘灰飞扬。

无数的人，无数双手，在无数的书册中翻寻，空气中充满浓重的旧纸霉味。他立刻明白，此番根本找不到自己的书了，找不到他喜欢的一巨册铜版纸《浮士德百卅图》。四周都是书主，人头攒动，满眼旧书，曾经被一本一本从全市各个私人书橱里取出、装入黄鱼车或汽车，敲锣打鼓汇集到这个杂乱高广的所在。这些来自四面八方的图书与主人间的联系，早就被彻底割断了，每一个来者，此刻都念想着过去，眼前这座大库也确实盛满了过去，但只是一种复杂的堆叠，纠缠着深不见底的破碎记忆，每人要找的每一页字纸，已熬煮于目眩神乱的这个旋涡之中，必与主人无缘。每一位来者，虽已被告知，可按照当年的单据取回同等数量的书册，但现场充满了无尽的焦虑与绝望，大家都流着汗，手眼所到之处，只是无数非常陌生的他人的物品，普遍心情不佳。

记得那天，父亲与一小青年争了几句，对方应该就是失主代表或家属了，却不明白也不爱惜这些旧物，一路乱扯乱翻，随手把一函一函整套的线装书拆散，东拿几本，西挑几本。父亲拉住小青年说，这样做是不对的，拿回去也没有用。对方大声回答：这是我个人自由！现在谁怕谁啊！

明显是个受害者，倒蛮有当年害他长辈的这种作风！父亲事后说。

失去了预期的喜悦，他意兴阑珊，没有取回超过原值的书，包括那些他清楚的贵重版本，心情低落。此次从飞机库带回的大多是便宜读物，即使这样，以后细翻这几大捆旧册，窥见零星的藏书印、私人笔迹、剪报，甚至某一页夹有的一丝头发，都令他不安。其中一本《给初学画者的信》（苏联赫拉帕科夫斯基著，人民美术出版社一九五七年版），盖"墨海"双框白文印，扉页上是主人匆匆的钢笔字：

支援官亭抗旱归来路过书店，见而购之。

王坚强 65.3 补记

父亲（28岁，《时事新报》记者）与母亲（20岁，复旦中文系大二学生）在太湖留影，
1947年4月7日。

留影于外滩黄浦江船中，也在此时，组织上批准他们结婚。1950 年 10 月。

没有此人更多的信息。

王坚强，这个人在还是死了？父亲说。

三十年前红纸墨笔的领袖语录，早已经不知去向，书橱中缺失不少内容，增加了《盐铁论》等"文革"重版"儒法斗争"读本。当年打扫厕所的无数个夜晚，他是在静读这一类新版古籍中度过的。到一九八二年，整叠读书笔记被他包了牛皮纸，贴一标签"《扫闲堂笔记》"束之高阁。以后，橱里摆有他和我母亲从西安、昆明、桂林带回的小纪念品，我曾给他一块火山石，他也贴一小纸"1988.8.1，长白山"（我登山之日），放在一起。

橱里一直摆有他和我母亲的合影。

他们那时年轻，多有神采，凝视前方的人生，仿佛无一丝忧愁。他们是热爱生活的一对。

其实在拍摄此照的岁月里，父亲奉命回苏北根据地接受审查，母亲在复旦上大二，不知听了哪个同学的话，想去北方革命，她的资本家哥哥大惊失色，赶到北火车站，将她从即刻开动的火车上拖回来，关在家里一个月。

如今，一切都归于平静了，他们都戴老花镜，银发满头。寒冷的雨雪即将来临之时，父亲辗转不能入眠，狱中旧伤仍然隐隐作痛；母亲一直是热心的报刊读者和离休组织开会对象。他们身体还算硬朗，没有和孩子住在一起。

有一天早晨，父亲摘了菜，喝了一杯茶，后来对母亲说，今天不吃菜了。母亲没听清，去到厨房后发现，父亲已把豌豆苗装到黑袋子中，丢进了十二层的垃圾通道，无法找回，摘剩的枝梗盛在塑料篮子中……母亲说不出话来，把那些枝梗装入黑塑料袋，扔进十二层的垃圾通道。第二天，她给每个亲友打电话，提到父亲这个过失，可惜那些青翠的豌豆苗。她大声诉说这事，使听者都有所触动。

新中国成立后的某一年，父亲突然被告知去京开会，实质是坐汽车在市区转了好长一段路，被禁闭在一幢不知名小楼里。周围有多幢这类小楼，属于本系统的人员，因某件大案的株连，每个"有问题"者被独拘一座小楼，书面交代问题，每周允许与家人通信一次，也就是写一页无信封的内文。父亲一直不知道这小楼的位置，其实是在附近淮海中路1273弄的"新康花园"，距长乐路我家只两站路。我母亲也全然相信他去北京"长期学习"，离开了上海。几个月后，父亲在一回信里提到"昨晚大雨，响雷"。细看这一句，母亲忽然意识到，他肯定不在北京，而是在上海！记得那一晚沪上大雨，空中响彻巨大的雷声，但她不能在回信里提出疑问。

在这段漫长的日子里，他每天独坐，默写那些写不完的交代材料。

有一天听见窗外有小贩叫卖面包（当时有这类小贩）的吆喝声，是他十分熟悉的一种声调……他终于想起来，以前在家里多次听到这种声响，耳熟能详，"卖面包咪，罗宋面包，豆沙面包咪……"离家半年他才明白，这座小楼与自己的家，都属于小贩游街串巷的同一个活动半径，亲切的嗓音，经过小楼旁草坪和宁静的梧桐，一直曲折游荡，就可以返回自己熟悉的家，让他忽然明白，也只有小贩们的世界，才是真正的自由王国。

父亲离休后的第二年，见到了情报系统的老上级。一九四九年后，这位老人即被禁锢于江西某农场，直到 1980 年代平反。八十多岁的老先生，忽然转身成为一个享受相当级别待遇的老干部，却没有任何同事和朋友，有时被司机送到一个重要会场去，发现谁也不认识，只能回来。

父亲说，他同老人晤面那天，颇有一九四九年前的接头色彩，两人坐在静安公园一个茶室，凑得很近，压低声音说话。父亲说，老人轻声讲话的方式和语言，仍然是解放前的那一套，完全没受过解放后的政治教育和学习，甚至夹杂了江西老农的词汇。

在"白区工作"的岁月里，老人是一个重要的存在，是父亲崇拜的领导人之一，广交三教九流朋友，面对双重或三重间谍（情报如生意，做"赤俄""白俄"情报、轴心国情报、国共两党情报）游刃有余，精通几国语言，衣着考究，用古董锡兰银烟盒、海泡石烟斗，喝咖啡、下午茶，每夜收听同盟国新闻短波，密切关注时局。

但如今一切都变了。老人从尘封几十年的箱笼里，取出陈旧的英国斜纹呢大氅，压满皱褶的呢帽，手中的"司的克"（手杖）早已不见，改为他儿子在四川买的竹杖，时常恍恍惚惚，自以为还是在一九四八或一九五〇年，他只在清醒时唠叨说，现在一切都好了，只是没朋友，没有事做。

父亲说，他要做的事，四十年前已做完了。

那段时期每隔一天，父亲会收到一张双面蝇头小字的明信片，他必也密密写满了一张，翌日回寄对方。这是南京老友寄来的文字，南京明信片为竖写中式，父亲是西式横写，一来一往，不亦乐乎。

当年这位老朋友搭救他出狱，一九四九年直至"文革"疏于往来，后不知怎么接上了联系，双方相互在信里做旧诗，讲无数旧话。这种赤裸的文字卡片，在小辈眼里是过时和怪异的。

几年之后，老友去世。

明信片无法收寄，父亲失去了观看蝇头手书的乐趣，出门的次数更少了，手头有一部缩字本的《廿四史》，他每天用放大镜看这些细小的印刷体。

在老境中，友人终将一一离去，各奔归途。他们密切交往的过程，会结束在双方无法走动、依赖信件或互通电话时期，然后是勉强的一次或几次探病，最终面临讣告，对方也就化为一则不再使用的地址和电话号码。死者的模样仍然是在的，在活者的脑中徘徊，却不再有新的话题，只无言注视前方，逐渐黯淡。这种化分之后的形象，终也有一天，连同保存印象的主人一起，忽然消失。人的全部印象，连带记取他的活者本身，全都消失以后，才是真正的死亡。人是在周而复始替换这些印象中，最后彻底死去的。

某一年冬季，父亲见到了一位不速之客，当年某同学的小儿子。同学于一九六六年死于非命，如今见了晚辈，父亲非常喜悦。

客人是外地中学教员，瘦弱，中等身材，衣着朴素，典型白面书生，因为来沪出差，萌生了探望前辈的想法，带来一本回忆集，收有我父亲的文章，父亲住址，是他按书中介绍的作者单位打听来的，很不容易。

我父母都很高兴，招待这位远方的"外甥"。

年轻人儒雅有礼，话音不高，母亲听不太清楚，只是对我说，父亲那天饮了不少酒，讲了不少有关过去的那种动情的话，从没见他这么高兴和激动过。

父亲觉得，这是一位非常了解长辈历史的青年，观点很有见地，做中学教师有点委屈了。

来客供职的中学，在某省某镇，抓教育不力，教师发不出多少工资，这次他来上海，担负了联系"希望工程"的任务。

父亲立刻答应想办法，写了几个地址和单位电话号码，凭此可以去找一些人，相信是有用的。

就这样，两代人紧密联系在一次午饭中。下午四时，客人告辞，我父母坚持送至楼下，一再嘱咐这位青年，有暇一定再来坐，希望还能见面。

三天后，父亲接到一老朋友电话，说家中也接待了这样一位外地青年教员，对老一辈人的往事，来人极其熟悉。父亲哑然，之后整个下午，他按那天给出的地址，一个一个通电话，对方均表示没见过这个小镇教员，更无人联系"希望工程"之事。

这位儒雅的白面书生，去到哪里了？

事后我母亲说，那天临走时，年轻人说回乡没有车资，父亲给了他一笔钱。

这事渐渐使我们不安。

我大哥希望，父母到外地休养一段日子，或考虑就此和儿子住，至少不会再冒冒失失，把一个陌生人接到家里来。钱是小事，出其他问题就麻烦了，你们都不能出事。是否要报案？请派出所分析一下？父亲那天开出的电话和地址，也要赶紧一一通知到对方。

父亲那天没说什么话，大家都呆呆地看着他，等他说话，提供什么线索。

"这年轻人还不错，也许是缺钱。"父亲最后说。

他的判断或许是对的，直到今天，再也没有新事发生。

只是从此后，他再不提这件往事了，再不提这个青年。

在晚饭前的那段平静黄昏中，父亲开了灯，伏在《廿四史》缩字本前，用放大镜看那些小字。他已经八十岁了，他聪敏、沉着、自尊，在漫长的人生中，已无法再一次寻找他年轻时代的神秘未来，只能在放大镜下，观看密密麻麻的过去。

黎里·维德·黎里 ◎ 父亲

我母亲说，只在某一封没写完的信里，"才见到你爸爸充满情感的回顾："天寒刮起西北风，让我想起满目萧条的，我的青春年月……"」

黎里

一

父亲九十岁那年，我家三代人，三辆车，沿沪青平公路、朱家角、金泽、芦墟，看望我们的故乡：吴江黎里镇。

镇耶稣堂以东，下岸临河，有金家四进老宅，基本为清代建制，历经 1950 年代"公私合营"等变故，年久失修，房子朝东倾斜，如今只余一间算金家（我三姑母）所有，临河大门似乎变矮了。幽深的弄堂还在，见到钉有一块门牌"中金家弄"。

弄堂上方，灰暗的屋檐翻轩，尚留有精致雕花，朱漆光芒早已消失，绽露暗紫底色，前厅侧扇的玻璃洋门，还有一件洋白瓷的拉手，父亲说是清末旧物，门上原有一个铜铃，有人进来，门铃便响，过去叫"响铃门"，这铃自然已不见了。在他童年时代，这宅子已开始衰败，如今仅门及东墙的精致砖雕，都于"文革"中被毁，宫扇的字画刮尽，房屋杂乱分割拆建，第一进天井里搭出一间水泥房子（解决居民住房困难），弄堂的方砖踏过几代人脚步，依然没见破碎，父亲说它们起码有两百年了。

这里曾经的家具、字画已荡然无存。他记得大厅东墙原有一副对子——"濡染大筆何淋漓，浩茫六合無泥滓"，是北京一戊戌翰林所书，青年时代的父亲，常看着它，遐想所谓天地之大，文章之美，尽于不言中……

抗战前，父亲在嘉兴读高中，有次回家拆开一包铜板，当时一块银元兑三百铜板，一百个一包，他发现其中夹有一枚铸有镰刀斧头交叉图案的"中華蘇維埃共和國中央政府"制钱，悄悄塞于二楼窗前的屋瓦下面。这天我们在弄堂里鱼贯走过，他看看花窗内的低矮屋脊说，还像是旧瓦片，有这只铜板吧？

在青年时代，他多次离开这所老房子，多次返回到这里。一九三六年，苏州、嘉兴之间筑有苏嘉铁路，"苏州南"到嘉兴全长七十五公里，他去嘉兴读书，去杭州接受军训，经常坐船，坐这路火车。到了一九四四年，日军需要钢铁，这条铁路被全部拆毁，至今没有重建。

他记得苏嘉铁路中途的平望火车站旁，有白布黑字旗的"慰安所"，盛泽镇上也有三处，一处在银行街，另两处是姚昌弄和后街，靠近盛泽日军司令部。

一九三七年十一月十二日吴江全境沦陷的这天，从青浦嘉善方向来侵的日军汽艇经过黎里镇西行，军用地图应该标明附近隐有这座大镇，但他们直接驶往交通要道的平望。这天下午，我父亲尚在凄清的镇街上张望，根本不知道日寇已经过了本镇，可见这一带水域之复杂。

[父亲笔记]

　　首任维持会长丘纠生，被不知名游击队击毙，停尸镇东商会，竟无人吊唁。

[父亲笔记]

　　我镇一捐官士绅，素善书法，沦陷后自谓"进士"遗老，应召赴平望日本军部，呈手书楹联："为善日不足，读书乐有余"。敌酋阅即厉责，"日不足"所指何谓？"进士"惊怖万状，伏地乞命。此系先考所述，至今已六十又五年矣。

即使敌方从无驻扎，黎里镇"维持会"仍迫于平望日军的压力，商量来商量去，最后决定在某月某日，送镇上几个最无亲无眷的尼姑到平望去交差。这一日，清早落了小雨，"远远就听到女人哭声，镇里人人晓得，是几个尼姑的声音，一艘菜贩小船要送这几个女人去平望了。哭声越来越响了，小船顺了桥洞开过来，慢慢近来，慢慢摇过去，声音慢慢低下去，轻下去……这是啥世界？！天落无穷无尽细雨，小船一路摇，尼姑一路哭，桨声哭声，穿进一座接一座石桥洞，朝镇西面慢慢慢慢开过去……这是啥世界？！"

在两年前，也即一九三七年的四月，他和全体高中同学去杭州大营盘接受全省军训的阶段，根本不会相信，他的黎里镇会有这样的局面。

那是沸腾的四月天，火车开到了艮山门，大家束紧了皮带，打好绑腿，脚穿乌黑锃亮的高帮皮鞋，分两路纵队，步行经过了南星桥，引得路人围观。

中队长芮乾元，云南人，三十左右，衣冠整洁，挂"军人魂"短剑，外鞘有"蒋中正赠"四字，据说军官凡中央军校毕业均佩此剑，战败可用以自戕。

进入大营盘，同学们脱下黄卡其高中校服，穿灰布军装，粗布袜，休假出营，门岗有检查，规定改穿高帮皮鞋，必须擦得乌黑锃亮，出操换苎麻编结的草鞋，发刺刀，"中正式"长枪是当年最新型号，比七九步枪短很多，宿舍有固定的个人枪架，刺刀插入皮套放于床头，清早四点半一声起身号，值星官穿戴整齐，连声催促，一连串"快！快！""动作快！！"全副武装，披挂水壶、背包、腰带、刺刀。他觉得最麻烦的是缠绑腿，一团绑腿布捏到手中，越忙越绑不好，要打出规定的三个"人"字花，要挺括平整，有人可以打到膝盖上，更显两腿修长。

每天"三操两讲堂"、加强野外行军、演习，军事教材是六十四开玫瑰红封面《步兵操典》——包括"野外勤务"、"筑城教範"（筑战壕、防御体操作）的正规军校教本。军训第一条规定：听到"蒋委员长"四字，无论何时何地，必须迅速立正。一个三百来人的大队，瞬间爆发出三百来双皮鞋敲击地面的一声巨响，其速度之快，动作之整齐，声音之响亮，令人震撼。

他发现学生兵明显被优待。普通士兵犯纪即当众吃军棍，立刻剥除下衣，揿到地上紧压双腿，一军人举起七尺长军棍执行，共打五下（轻罚），已皮开肉绽。学生兵犯了错，最多关禁闭。

[父亲笔记]

在杭州，我竟同二姐会了面。蕴姐十七岁出嫁，后搬到苏州，一直关系亲密。三年初中我在苏州读书时常去见她，她曾在景海及惠灵中学读书。后来搬家到上海，住宝山路。这次父亲来信说她到了杭州，我非常高兴。隔天照信上的地址找到艮山门，走进一个上海里弄式的房子，刚上了二楼，不料正与她迎面相遇。我热得脱下军帽扇风，她见一个光头对她傻笑，竟认不出我来，"倷（引注：你）寻啥人？寻错人家了！"我叫声"阿姐——""啊呀——是弟弟哩，剃了个光头？从啥地方来呀？"见我这身打扮她大为惊讶，两人哈哈大笑。我摸光头说："军训啊！"——我十八岁，她二十一岁。这一幕印象甚深，如今回想，就像发生在昨日。

二姐是为服侍高龄的公公，特地带了女儿搬来杭州。她介绍我同一个白发苍苍的老者见了面，实际也不过六十岁左右年纪而已，较显苍老。知道我在杭州军训他非常高兴，眯起老花眼从上到下对我打量一番，马上叫我姐姐："'代名词'，去买点心给弟弟吃。"说来好笑，据说姐姐初到夫家时，学生气未脱，有一回大发议论说，人的名字，不过是个代名词罢了，怎么取都可以。听者大噱，遂给她起了"代名词"的绰号。以后姐夫全家上下都叫二姐为"代名词"而不呼其名。

这次去看姐姐，同她没讲多少话，倒是老先

生与我叨叨不休，拿出装裱的册页诗作，不厌其烦一页页讲解，字写得苍劲古朴，很有功底。现在想来，老先生怎会拉我大谈诗词？他的谈兴不是为我，他三个儿子一个女儿，个个不在身边，且同诗文无缘，同我姐姐也无从谈起，无人好谈，知道我是高中生，好似遇到知音，一发而不可收。我不理解老人的苦楚，只喜欢他一手好字，想讨字又不敢。此后一直再没见过他。

六月下旬的某日，杭州特别热，全体高中生集中到营房前操场，不久大学生队伍也到了，一片"报数、立正、稍息、实到人数"声此起彼落，值星官喊口令开始拖长尾巴，声音变粗，立正的"正"字拖长四五拍，全场一万多人集合完毕。

总队长范汉杰从一群军官中出来，白面书生，挂少将金底板领章，穿棕色马靴，一口文质彬彬广东官话，踏上司令台，大队长高喊"立正——"一声"正"字长音，那年代不用扩音机，全靠丹田之气，数千人都能听到，因此当年军官像唱京戏，天蒙蒙亮要去田野里吊嗓子。此刻，另一批人由侧门鱼贯上台，为首穿夏季白西服的是汪精卫，后面是曾仲鸣、褚民谊和陈春圃等人。

他记得就在这天，汪讲了"焦土政策"，开口闭口"兄弟""兄弟",引出"焦土抗战"的议论,当时报纸还没公开提出这个调子。汪一再强调中国是弱国,比日本落后六七十年,弱国之民要抵抗日本人杀进来,是很难的,只能让敌人进得慢一些,要争取时间"安内攘外",对付日本人要抱定牺牲决心,即使人与土地"俱成灰烬"……

褚民谊(曾提倡"救国不忘运动",生性风流)也结结巴巴讲了几句,南浔话,江南小镇味道……无人能预测时隔八年,抗战胜利以后,我父亲在苏州高等法院记者席,听此人语无伦次为汉奸行为开脱,虽一再申言曾保留孙中山肝脏有功,乞求从轻发落,终不免伏法。

[《抗战时代生活史》/陈存仁]

    ……(褚民谊)临死以前,忽然很镇定,跟摄影记者笑着说,这是最后一次照相了,希望照得好一点。他的一枪,是从背后打进去的,褚民谊原有太极拳的功夫,中枪之后,忽然作一个鹞子翻身,仰天而逝,结束了他糊涂的一生。

每天频繁出操和急行军,导致父亲腿部的淋巴腺肿胀溃疡,一次在家信里告诉了父母,不料引起他们万分不安。

一个星期六下午，我祖父从黎里镇赶到杭州大营盘。我父亲刚跑近门房，见老人家正对着营门内张望，见到他就诧异地问："腿上疖子怎么了？不要紧吧？啊？"

他回答说，已经收口了，已经好了。那时，他一身军装，剃了光头，打绑腿，仿佛变了个样子。祖父目不转睛凝视他说，夜里可以跟我一道住旅馆吧？他答说受训期间不可在外住宿的，但为免老人家失望，最后约定改日再见面。父子俩立得笔直，讲不出几句话来。

翌日中午，祖父又来到大营盘，穿一件白香云纱绸长衫，戴浅灰色巴拿马软木帽，父子俩走到西湖旁边坐了一会，吃了一碗面，一瓶橘子水。我祖父抽烟，不时望望我父亲，望远处的六桥山水，神情忧郁。父亲回忆说，你祖父以前常来杭州游玩，大概留下了太多的印象……

这次相见，只短短三个小时，要按时回营了，两人步行到南星桥，一路说了些什么话，已不记得了，走到大门口准备告别，就听我祖父说：我车票已买好了。然后祖父背过身去，就于西晒太阳下缓步离去，路上留下了长长的影子。我父亲在短墙栅栏缝隙里目送老人家渐行渐远……尤其当他进入了自己的老境，每提起这告别一幕，恍如隔世，常常极为伤感。

二

黎里附近，震泽、南浔之间的杨墅兆村，有金家祖墓。一九三七年，父亲读高中时特意从震泽步行"寻根"，路旁祖坟地基还在，附近有"金氏宗祠"，于右任题的匾额。

据我祖母说，金家是明代被抄，一大家子逃难，其中一支逃到了附近的杨墅，多年后枝繁叶茂，筑起江南人称的"墙门庄"，然后是突然一场大火，又迁往了黎里镇，同时迁入的是金家另一分支，出过一位孙中山、蒋介石的私人医生金诵盘（曾多次给我祖母看病），是我祖父的堂弟，其子金定国与蒋经国为结拜弟兄，多年前被海内外媒体集中报道，热过一阵子。

迁来黎里镇前，我太祖父一直无所事事，嗜好鸦片，嗜赌，不久就去世了。我太祖母带着三个孩子，花一千多两银子买下了黎里镇"中金家弄"房子，作为寡妇，在当时是十分招摇显眼之举。入住后，太祖母着手翻新这座旧宅的第二进房屋，包括弄堂旁长长一排裱有字画的宫窗。以后，也即我祖父五岁时的某个深夜，一伙强人夺门而入，捆绑了太祖母，将家中所有的金银洗劫一空。所幸她还留有窖银，待到几个佣人挖出了装元宝的地缸，却发现缸里全部是赤链蛇，太祖母立刻就哭了，她知道，金家要败了。

太祖母去世，留下三个少年人——我的祖父、叔祖父和姑祖母。祖父当时十七岁，在苏州东吴大学读预科，已与镇上蔡姓大族女儿攀亲，因此由族长出面做主，金家向蔡家借两千银元，办了我祖父这一门婚事。新过门的祖母（蔡月座）也是十七岁，贤惠能干，不久就为我的姑祖母攀了亲，嫁与苏州带城桥下塘的袁诗亭（曾在北京大学教书，其侄袁水拍，排球教练袁伟民，都出自苏州袁家这一族）。以后，我祖母也为我的叔祖父娶了亲（黎里镇汪家），也是由族长出面，正式为金家两兄弟分了家，其时金家一千亩田地被一分为二，中金家弄的宅子也一分为二，后二进为我叔祖父使用，前二进归我祖父居住。

祖父两兄弟的关系一直十分要好，维新时期废除科举，他们曾一起拜同里镇"江南大儒"金松岑读书，结婚后两人照常在一起玩。当时的黎里镇，已有了所谓"交际花"，按现今理解，就是相对新派风流的已婚女人每夜在家中会客，丈夫毫不过问，是可以彻夜接纳男人们上门打牌喝酒之所。两兄弟经常深夜才回来，有一夜我祖母锁了内门，两兄弟在天井里呼叫之时，楼上就倾下一大盆冷水来，两人浑身湿透。这表明我祖母已十分不安，不久，她就卖掉了二百亩田，让我叔祖父赴京读书。

当时黎里镇到北京，舟车辗转要走一个月的时间。我叔祖父金鹤年就读于北京朝阳大学法律系，精通日文（其时中国法律均由日本引入）。抗战前他在设于苏州的"江苏省高等法院"任检察官，后辞任，战后在桃花坞买了大房子，很是气派，已然是当时苏州最知名的律师了，在上海金神父路（今瑞金二路）有事务所。

即使用现时的眼光来看，我祖父在当年也算是新派人物，只是他一直在镇里生活。他朋友无数，花钱如流水，常去苏杭游玩，喜欢洋货和化学，家里有不少化学玻璃仪器，还有网球拍、洋酒洋烟。有一段时期，他经一位朋友介绍，在镇小学教过书，后因为教了一个白字，被人取笑，立刻就辞职了。他喜欢广交朋友，共和时期推翻帝制的群体中，黎里人氏不少，黄埔军校有几位朋友来信，希望他过去做事，但当时从江南去广州要转道香港才能到达，祖父因觉得麻烦而作罢。

待到北伐胜利，有个朋友忽然做了浙江省水警厅的厅长，立刻写信来，邀我祖父去做财务科长，月薪两百大洋，于是他快乐地去了。这时已经是新派军队编制，戴制帽，一身青灰色哔叽制服，尖头高帮皮鞋，武装皮带，他曾这样打扮了在镇上走了一趟，在照相馆拍了照片。大家都觉得惊奇，只是我祖母对这身装束生疑，认为已经穿了洋装，现又改为军装，是不吉利的，没有好处。

果然，祖父到职没儿个月，水警厅的厅长忽然间就死了，他的全班人马立刻被后任取代，祖父只能带着几百大洋回到了镇里。我父亲对我说："你祖父只是字写得好，其实他不懂得做事情，是不会做事的……"

祖父的状态就是如此，一直闲于家中，无所事事，常去苏杭游玩，喝酒打牌，性情慷慨，常借钱给朋友，所幸是他始终没有染上鸦片烟瘾；一度他很想做小职员，请苏州我的叔祖父帮忙，但在当时，法院系统的人特别谨慎，讲究规则，我叔祖父到底也没有介绍什么事情给他做。

金家老宅与黎里镇不少的老建筑，同样是在静谧时光里逐渐衰老……我祖母嫁来后，虽也如我太祖母那样尽力维护修葺，然而这些老屋仍然散发着朽坏之气，家中事无巨细都由我祖母操持，一直有佣人、厨子，春秋两季请裁缝，表面架子大，实际已陆续变卖田产……直至最后讫尽，终不愿卖掉房子。溯自我父亲读初中阶段，家中用度已很严峻，每至新学期开学，祖父即到苏州求姑丈接济，祖母不时变卖细软……有次，他见我祖母从箱笼里翻出两朵发黄的珠花、一件狐皮袍子，裹成一个包袱，嘱咐黎里镇一个叫万隆的老裁缝悄悄从后门携出，走很长的石板路，绕很大一个弯到镇西的当铺里卖掉，凑够了学费。

他一直被初中三年的经济窘境压得喘不过气来，何况高中呢。钦佩进步作家，接受左倾文艺书籍的变化，是在这个阶段开始的。他隐隐感到迟早有一天，他会进不了学校大门——情况确实如此，也就是他在震泽镇育英高中读书那年，日军突然入侵了华北。

一九三六年除夕，育英中学欢庆元旦，学生会主席发表讲话，盛谢校方安排的除夕会餐。谁也预料不到他竟然上台发言说：国难当头，校方不该如此庆祝——今夜会餐的钱款，应如数捐给绥远前线将士才更合理……校长勃然大怒。

当晚同学们都在用餐，只他一人静静站在学校附近的河岸边。"效仿屈原之行吟，极为孤立"，他在当天的日记里这样写。本学期成绩单"品行"一栏，被评为"乙下"，这在他无疑是"奇耻大辱"，因此不久他就转校到嘉兴秀州中学，再读高一。

这是一所教会学校，校长顾惠人是留美生，虔诚的基督徒，父母据说原为教堂佣人，获美国牧师好感，因而助其子出洋读书。全校课务由教导主任和一个美

黎里廊棚。

黎里祖屋弄堂上方。

国教师窦维斯负责，设有工读，可全免学杂费。

比起黎里镇小教堂，嘉兴教堂更称得上一个堂，哥特式拱形长窗，仰头才可以望见高高的尖顶。进入这个沉静氛围，同学们不论有无宗教情感，都一样抱着烫金《圣经》穿来走去，在牧师的温和祷告中，他得到了慰藉，这个阶段，他常常默诵《圣经》，餐前谢上帝，睡前真诚忏悔，有时流泪饮泣，深感迷惘……等这年的年底发生了西安事变，图书馆里看报讨论时事的同学越来越多了，他也逐渐离开了《圣经》，然后，整校突然间倾巢而出，实行省内军训——整个大时代突然变了，属于每一人的命运，也即从这一天起，完全彻底突然改变了。

父亲常会提到"七月八日"这一天，杭州的气温逐日升高，午休时他读《猫城记》至一时半，离开图书馆走回宿舍，整个大营盘静悄悄的，偌大的操场烈日当空，猛听到街上报童"号外！号外！"的凄厉呼喊声，他隔着矮墙木栅买了一份八开单页报纸，赫然印有特大醒目黑体标题——**日军炮轰宛平守军！**啊！战事爆发了！！打仗了！！！正午炎阳晒得操场的砂子发白，皮肤刀割似的灼痛，地上是一动不动的一团黑影。

两小时后，全体学员紧急集合，范汉杰宣布军训即刻结束，所有学生立刻归回原校。下一日，他与同学坐火车到嘉兴，校方亦宣布放假，他乘苏嘉火车到了平望，雇小船返回黎里镇。他穿着校服，戴大盖帽，脚穿前掌有铁钉的军用皮鞋，急冲冲赶到黎里老屋。祖母端一碗炒米糖茶，惊喜交加，问他的脸和两手怎么晒成了酱蛋色，祖母叹息道："玖生（他的小名），倷哪能这副样子了……"祖父听得消息，也即从茶馆赶回来相会，加上他的妹妹，全家四口（蕴姐婚后住杭州，大姐住本镇西首），算是在战火中团圆了。

以后的几个月，举镇惶惶不安，日军进逼的战事新闻不断传来，"八一三"爆发，战事激烈，日军飞机常从古镇上空经过，人人都在空气里闻到了火药味，谣言四起，一度传说：只要身穿丝绵袄裤（本地盛产蚕丝），子弹就打不进，死不了人。不久，平望遭到轰炸，形势逐日紧张。

[父亲笔记]

一九三七年十一月上旬，沪战失利，松江青浦一带难民船，首尾相接，日夜兼程，穿过我镇市河，向苏嘉路以西逃亡，橹声彻夜不绝。五日，日军在金山卫登陆，上海守军全线溃退，青沪公路日夜挤满官兵车马。十一日，上海失陷，日军自嘉兴占领平望，距我镇仅十余里，翌晨，全镇十室九空，鸡犬无声。全家避难于三里外老宅。

十一月十二日，吴江沦陷，全家离镇逃向祖居杨墅——逃难正是最需要钱的时候，此刻祖父再向那些老友们仓皇问借，已是五元都难了。

[父亲笔记]

　　沦陷初，自淞沪战线撤退到太湖地区之散兵游勇，自称游击队，多如牛毛，经常勒索钱财，百姓称"老刀牌"、"强盗牌"（均为香烟牌子）。中有程万军者，号称拥万人，自立番号"天下第一军"，后即投降日寇，收编为汪伪第一师。

三

　　那天我们退出"中金家弄"，便看见了安静的"市河"。

　　在旧时代，黎里与周边各镇只依船运维系，水网密布，眼前的"市河"曾何其繁忙。父亲描述当年来往的行船，一如上海马路上大小汽车那样络绎不绝。船头漆了红绿一对大眼睛的是绍兴快班，方头方脑的是夜航船，镇上地主与店家到四乡收账用船，包括有钱人的雇船，精光锃亮，统称账船。在沦陷之前，秋季的市河有更多更密集的卖菱小船，吴江四乡女子，打扮得"山青水绿"，一路摇船一路叫卖鲜菱，镇上的石板路、桥栏、驳岸，包括茶馆内外，立刻铺满了厚厚一层米色的菱壳。

　　眼前笔直的市河，曾是父亲少年时期的看台，也是无数"太湖强盗"驾快船前来抢劫的必经之路——我曾在中篇小说《轻寒》（《收获》一九九〇年第六期）中写一黑制服的水警，立于漆有白"警"字小舟中大吹铜号的场面，是虚构的一种悲凉；在父亲记忆里，每逢这特殊时刻，等于人坐家中，风云突变，忽听得一阵阵极为惧怖之声——全镇三里长的街面上，自西渐东的店铺响起一片关闭"排门板"声响，如骤雨暴风，如除夕夜大燃鞭炮那么滚滚而来。黎里镇四面环水，仿佛太湖流域一个岛镇，历朝历代都须经受这突发的无情劫掠，然而在少年人的眼里，从快船上跳下来的"湖匪"一点也不凶，有男有女，大大咧咧在镇上行走，在每座石桥布哨，队伍中的女子丝毫不减男子气概……"中金家弄"斜对岸有一大当铺，两扇包裹厚铁皮的巨门早已紧闭，门后贯有五寸见方粗大门闩、大丁字撑，但"湖匪"往往只撞数下，门就不声不响开了。父亲说："现在想想，一定是有内线的。"一干强人即刻拥入当铺，也即刻搬出大大小小抽屉，朝快船的船舱倾泻银元，声音陌生，哗哗在耳，河中浮动大大小小的抽屉。镇上有个吃鸦片败家的乞丐，长年蜷缩于当铺门侧，第一个经过的"湖匪"，丢了一件灰鼠皮袍子在乞丐身上，闪闪发亮的青缎子面；第二个强人经过，一个挥手，"哐啷啷"几个银元，在灰色石板街上跳跃闪光。乞丐立即滚爬起身，诚惶诚恐，深深作揖道："队长顺风！顺风！顺风！！"

每逢这种场面，全镇只有瓷器店"海兴盛"照样开门，店伙计靠紧柜台，"笃定泰山"，静看这一出大戏——是屡经乱世的传统：瓷器店向来属于"清水衙门"。

[父亲笔记]

田岫山，沪战撤离之下级军官，蓄两绺燕尾须，持红穗驳壳枪，号田胡子游击队，一律快船、便衣（俗称"便衣队"、"便爷"），曾来镇西当铺发表抗日演说——若镇方无诚意，即驻扎镇上"抗日"，万一引起烧杀，概不负责。镇商会赠300银元、廿担大米，当日开拔。

[《庚癸纪略》／倦圃野老]

咸丰十年（引注：一八六〇年，下同）

四月二十三日，西路火光烛天，晡时吴江陷。

四月二十七日，贼（太平军）尽南去，吴江

城内外杀数百人，虏千余人。焚民房十数处。土匪肆掠。嘉兴陷。

六月初一日，五更炮声震天。贼起岸。下午闻贼退。土匪蜂起。

六月初二日，（同里）烟焰冲天，火势正炽。泰源、恒源、永和三典被土匪抢掠。放火烧尽，街上杀死数十人。晚间又讹传贼至。良久始定。

六月初六日，周庄枪船（民团）日日来搜土匪所掠货物。

六月初七日，镇上(同里)各无赖倡进贡之举。

六月初八日，黎里失守。南望火光不绝。

[《柳兆薰日记》／柳兆薰（柳亚子曾祖父）]

咸丰十年

四月初四，迁徙纷纷，太湖有蕉湖船数百，均是土匪，乘间思劫夺者。

四月廿七 ……梨镇（梨川，即黎里）惊惶，罢市则确，若长毛已到，则未得实也。

六月初八 ……长毛已到梨川，逃难者纷纷东下 ……七月廿九 ……舟至（黎里）市河，两岸市房自流下浜起至唐桥止，一片灰烬，惨目伤心之至。

十月廿四 ……小舟冒雾到梨川，知长毛头目钟姓在地藏殿，缙绅、耆民均已见过，极谦和，

我父亲 22 岁，祖父 50 岁。

我（19 岁）与家兄（金芒，20 岁，图右者）摄于黑龙江嫩江农场，1971 年。

云是湖南人，告示安民，极工丽，极体恤……
街上多长毛来往，异服怪状[1]，真妖孽也……

一九七四年，我曾在黎里镇住了半个月，眼前这条"市河"，在当年印象里就这样窄吗？记忆中它宽阔很多，那时我已在黑龙江务农五年，回镇小住是因为近期有不少上海青年人已由赣、皖、滇、吉、黑等劳动地点转至江、浙祖籍落户，生活环境改善很多，回沪探亲也方便不少。这年春天，三姑母和表姐都这样来电话说："舒舒（我曾用名）可以回转了，倷就是黎里镇人嘛，祖宗就是黎里人，倷不是上海人，不是黑河黑龙江嫩江人，倷是吴江黎里镇子孙……"得此信息，我就到上海老北站公兴路坐上长途汽车，沿沪青平公路来到了黎里，住三姑母家。那段时期，我每天在镇里无所事事游荡，后认识了一青年理发师，常去他店里看过期的上海报纸。理发店有两根柱脚插在水里，有时地板和镜子摇晃，是小船碰到了柱脚，他就推窗对下面的船夫说："扳艄呀！"

1　《燐血丛钞》卷一／谢绥之
……（太平军）喜穿红、黄色衣，百方搜索，不足以应求，裁制又不及待，于是以妇女之衣，剪为窄袖，又不足，则以妇女之裤，洞穿其裆，剪裤管为窄袖，从头罩下，不嫌亵也。被掠妇女逼令易衣，每至当众裸露，羞怯欲死。衣亦雅尚红、黄，窄袖短衿，外罩半臂必极长，裤必宽管，不准穿裙。

　　但过了没几天，三姑母得到坏消息，镇"上山下乡办公室"已停办这种户口手续了。翌日，她想出另一个办法，准备找一个附近的水乡女子跟我订婚，这样的话，我肯定可以从黑龙江迁来此地。我表姐讲："不过嘛，此地水乡订婚有一点啰嗦，就算目前阶段，至少倷也要买多少斤上海'什锦糖'、'大白兔'，上海葛丝被面多少条等等，做男方上门礼品，一道坐了小船，到女方屋里去拜谢。"三姑母看定我说："倷阿答应？答应就讲定，下个礼拜，或者下下个礼拜一，一大清早，先约男女双方到黎里镇绸布店门口，见面再讲，阿好？"我当时笑笑，把这事告诉了理发师，他也是笑笑……但我父亲得知此事，即打来一份加急电报，当时我拆开封口，见里面一行字："即使天仙美女也不许见面。"——我父亲怎会当了电报员的面，拟出这一句尴尬电文的？

　　订亲的事就这样作罢了，记得那半个月，我常在镇里游荡，坐在镇桥石栏上看看来往行船，看绍兴来的脚划船、从太浦河和太湖开来卖鱼蟹的渔船，水阔天远，石桥一座接一座，每天凌晨时分，镇上几家茶馆灯火昏黄，已密密麻麻坐满了人……

　　我父亲清贫的学生时代，在抗战全面爆发的前夕结束了。

也是在这个阶段,他加入了中共的秘密情报系统。

他常常说,这是一种最讲规则、也最没规则的工作,必须随时独自应对突然的变故,常不知所措,不知如何是好——比如组织上一度派他到国民党三战区的冷欣指挥部受训(可收集情报),去后不久,该部却又调他去了郎溪。突然之间的调动,无法及时与组织联系,到达郎溪几天后,他又接奉了调令:即刻赶赴江西上饶的四十八都(现称四十八镇),接受更高一级的特工训练。这期间,他得不到组织上任何的指示,抵达上饶也无人商量,极为苦恼,只得称病暂住于民居,不办理报到的手续,屡次致电冷欣参谋部,"得患急病,难以受训,请求调回休养"。多天后终获批准,这才取道广德、湖州独自返回吴江。

他至今记得,同赴上饶受训的人员里,有吴江的马希贤(马希仁弟,曾任冷欣部参谋四课少校督导员,后被忠义救国军杀害)、无锡的朱影渔、溧阳的段道恕。朱影渔于一九四九年任江苏省保安总队大队长,因策划起义未果,同年被杀害于上海警察局牢房内。段道恕久无音讯,但在一九六〇年,有关"外调"人员找他回忆当年冷欣部特训班情况,提到过此人。

这段往事,我听父亲讲过多次,记住了一个细节——那时他从上饶返回吴江"养病",独自坐车、坐船,长时间步行,有一天,他走入大片大片的竹海,满目是蔽天翠竹，长久在寂静无声的浓荫中行走，忽见一只火红色大鸟飞落到不远的竹丛前，久久停立不动，浑身披挂赤焰一般的羽毛，极为炫目。这不知名的红色大鸟，始终留在密密层层的翠竹前面，留在父亲和我的眼前，殊为特别。

近发现他某一首旧诗有相似的注：

> 一九三九年冬夜，群雁落余脚下，声闻数里，诚为奇观。

他回到了故乡，作为冷欣指挥部下派的上尉情报员，进入严墓县政府，同年与上海吴成方（中共中央社会部在沪负责人）接上联系，主要工作是"收集情报"，当年对情报的理解相对狭隘，认为只有"密件"才是情报，一般是从政府公文中挑出密件，寄往上海秘密通讯地点"先施公司于明达"。

[父亲笔记]

> 浙西来的朱文礼、王化鹏等一批人进入"政工队"，他们没有地方关系，据说是通过庄绍桢进来（解放后才知是同一个党支部），共同宣传抗日，后在镇上开"二五减租"座谈会，触怒了地方士绅，引起国民党注意，撤销"政工队"，改为"青工队"，我任队长，朱文礼开始同我接触，但双方总保持距离，互相猜测对方的政治背景。

我记得曾在北栅田野同王化鹏散步，想摸他的底，他装糊涂。庄绍桢也忽然问我，上海有没有共产党朋友？他想找"关系"。我说没有。反问庄，别人都说你是共产党，会没有"关系"？庄说，啊，原来你也没"关系"啊。庄走后，我同萧心正谈起此事，认为庄是在试探。在那困难的年月里，双方一度是"捉迷藏"式的合作，对至今的人们而言，难以想象，双方没有"横关系"，客观上就存在隔阂，当时我真想把双方拧成一股绳，可发挥更大的作用，组织上不允许这么做，只能忍着。

[父亲笔记]

沈文潮当时在专员公署任总收发和监印，发觉了我和萧的举动，表示愿意一起工作，一次他甚至想随我同去上海，"让我看看上面的共产党是怎样一个人"。我曾把一份上海八路军办事处的捐款收据，请他送至吴江城内的金某。

[父亲笔记]

大革命时期建立的中共吴江支部，"四一二"后被打散，长期空白。"沦陷"后，国民党政治力量与乡村保甲制度仍秘密存在，始终有一条秘密交通线，从吴江一站一站通往后方，其时县党部收到的反共密件较多，文字较长即不易密写，如"中统"建立"农村通讯网"的密令，长至数页，都是萧心正手抄，装入一个纪念册的洋装封面内，由我带去上海。

[《六十余年前的特殊"口述历史"——〈中共谍报团李德生讯问记录〉书后》/程兆奇]

……上海的情报传往中央主要通过交通员亲传，而情报则用密写方法写在右翼出版物上；中央指示则用密写法写在衣物上传回。（密写方法大致有三种，一是米汤，显影是用一种叫"淀酒"的材料；二是用"五倍子"研碎书写，用"黑矾"显影；三是国外特殊墨水，用普通墨水涂后可自然显出。）……一般情报仍用密写法写于商品包装纸等物上，由交通员每月一次携往香港，再转延安。1941 年 7、8 月间上海情报科拥有自己的电台……

这种传递方式，如旧电影表现的细节，包括带至上海香粉弄某旅馆等，大多为文字方面往来。

在父亲笔下，当年另一种影像同样溢于词表：

"夜半枪声急／移舟泊远邻／冰凌篙橹裂／袜破足跟皲／抱秸遮飞雪／捧瓯啜粝飧／田翁扫竹榻／稚女奉茶巾／辗转突围出／应知一饭恩。"

注：日军扫荡，冬夜常乘舟转移，多次投宿

毛家浜处，某日大雪，余与心正拂晓在枪声中赤足涉水数里，旧影如在眼前也。

他在一九六三年三月十三日《申诉材料》——密密麻麻工整蓝圆珠笔复写的红双线纸上自述：

40年冬，兼任吴江伪俞清志部队大队副，夜袭苏嘉线日军据点盛泽镇，亲自锄杀吴江汪伪"安清会"会长叶冠吾。

一陌生房屋照片背后有他留言：

盛泽毛家弄照片，摄于1981年。左首有车轮的门户，即1940年安清同盟会会长叶冠吾姘妇住处，当年这条街上摊贩林立，夜市兴旺，附近尚有戏馆，登楼将其击毙，事毕提枪出门，在戏馆人群中独入小弄去也。

吴江地区俞清志、沈文潮参加了这次刺杀行动，事后，俞等人亦即刺杀汪伪吴江区长简孝峰——父亲在《得百句赠友》中称：

"……众秀咸同德／况君茹苦辛／挑灯论史鉴／置酒说乡坤／喜见义旗下／同仇共此心……"

注：嗣后清志、文潮又杀敌伪区长简孝峰。朱见华从未拿枪，亦独自去盛泽杀一日军伍长。张贻翼领取自动步枪当天，正逢日军扫荡，提枪带二人迎敌狙击，掩护我们转移，后即带六七青

年到梅堰公路伏击日军便衣，一时群情高涨……
他保留了其中二人照片，背后均有文字：

> 沈文潮，盛泽人，1941 年 8 月□日（引注：
> 原文如此）被国民党忠义救国军秘密绑架，惨遭
> 杀害，遗骸不明所在。

> 文潮未婚，殉难时年方二十三岁。虞仞千亦
> 同日遇难于马腰桑林中，尸骨无存。同天被杀的
> 还有庄浜马希仁家房东等数人。

读父亲在上世纪六十年代写的申诉，"俞清志大
队长"职称前，他都留下"伪"字，我理解该部队属
于"皖南事变"前的国民党部队——现相关资料，均
称俞为"抗日青年"、"抗日志士"，俞部也是当年
日军警备队、松山部队和绥清部队悬赏搜捕的重要对
象。父亲保留了俞的照片，背后说明：

> 俞清志，安徽泾县人，1941 年□月□日（引
> 注：原文如此），被国民党忠义救国军暗杀于吴
> 江严墓镇（今铜锣）枫桥西街。

> 同年春，伪军扫荡坛坵，前有大河，后有追兵，
> 俞部情报员许永蓼、文书施明不愿被俘，一起跳
> 河牺牲，遗体出水时，衣袋里还藏有部队印章，
> 农民为之痛哭不已。

他在《笠泽纪事遥祭诸亡友两首》后注：

> 马希仁弟马希贤，亦遭暗杀于商榻，尸骨

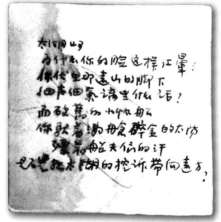

父亲摄太湖照片及背面小诗，1948 年。
"太湖呵　为什么你的脸这样红晕？　你伏在那远山的脚下　细声细气讲些什么话？
而破旧的小帆船　你驮着满舱碎金的太阳　漂着船夫们的汗　是不是把太湖的控诉带
向远方？"

摄于上海，1942 年。

无存。

翌年春节，青年区长俞清志又为"忠救军"便衣所暗杀。

又：文潮、仞千牺牲，嗣后袁璋被杀，而朱见华竟贫病交逼自沉求死。

以上部分的引文，也即一九四一年春"皖南事变"后之复杂细部，其时"忠救"已从安徽进驻苏嘉湖地区（延伸至上海浦东高桥、东沟），这支队伍的行动与态度，难有《沙家浜》（原作《芦荡火种》）角色的戏剧化。

[**互动百科/"胡传魁"词条**]

……编剧文牧同志讲，剧中的胡传魁和刁德一一样，原本都是没有原型的虚构人物，只是因为胡传魁的性格有些胡搞，所以才让他姓胡，就像刁德一性情刁滑，就让他姓刁一样……

维德

一

　　形势日趋恶化，按组织命令，父亲撤到上海，去熟识的香粉弄华商旅馆与系统领导吴成方见面，之后搬入同孚路斜桥弄（今南京西路吴江路），化名丁弢（党内从此叫他小丁），自称杭州人，任汪伪某协会干事，所编辑的《市声》半月刊，隶属龙襄三（洪帮头子，参加过"四一二"政变的帮会首领之一）、陈孚木，有汪伪背景。他与另一同志乔犁青（化名曹亚臣，山西人）共同为杂志工作，互相知晓对方是本系统人员，按当时话讲，没有"横关系"，单线联系之意。

他的吴江同道萧心正，客寓金神父路福履理路(今瑞金二路建国西路)；马希仁暂住萨坡赛路（今淡水路)妹夫家；沈痴云搬入赫德路(今常德路)居士林"觉园"之法室馆一雅室……之后，他按指示搬离了斜桥弄，迁至辣斐德路萨坡赛路（今复兴中路淡水路）"斐邨"，与程和生同住。

最后的这段经历，颇有小说的意味——他和"老程"扮为假兄弟，户口登记化名为"程维德"，入住后他才真正知道了原因——楼下"二房东"是一产科女医生，总想把楼上改为产科病房，收入就比一般房租高数倍，多次催促程和生搬离。程不大会说话，不堪其扰，最后请来了中西功（日共情报人员），让这位中西先生当着女医生的面，打了几次日本电话，以显露日本相貌施加压力——"我们和二房东的群众关系，从此被搞坏了。"程和生曾经对他这样说。待到"程维德"入住，却发现这个女医生并不似想象里那么凶恶，此后也再没发生这一类的纠纷。

一对假兄弟，在同一个领导下面工作，相互却没任何工作关系，朝夕住在一起，这是特别的体验。他觉得"老程"是个很好的人，遵守纪律，从不谈论个人的事。有一次考虑到如何应对查户口，他问程在哪里工作，两人的公开职业，应有一个具体的说法更为妥当。程却简短地回答他说："我在钢铁公司。"连公司名称也不愿说。他就此也不便再问，只讲定两人的籍贯是安徽太和（和县）。

［父亲致马希仁信］

从四〇年五月我离严（严墓）来沪后，仍在中央社会部在上海的一位负责同志领导下工作，领导人叫我搬出来与程和生（真名郑文道，已牺牲）同住萨坡赛路产科医师楼上，我化名程维德，装作同胞兄弟，这住址其实离你妹夫家极近，当时不能向谁公开，免得人来人去影响他，他至多比我大一二岁，是同济高工专科学生。为什么上面要我与他同住呢？好笑得很，因为女房东很凶，想把亭子间做病间，一股劲地赶（房客）搬场。我那假胞兄，不大会说话，穷于应付，向领导反映，领导出了馊主意，让我去同住示威，看我巧言舌辩好像蛮活络（说实话，当时租亭子间，只要出小顶费，也可容易，何必硬顶呢？），我才搬去的。后来我在编杂志，先是《市声》，后是《先导》，都是中共情报部门人员编的，不能再对一起编的人不公开地点，同事对我也公开了（其实也是情报部门的党员，老资格），我只得对他公开，时来找我。程和生后来就搬走了，原因也不详（都不能打破砂锅问到底的）。这样我就一人独住。房东仍不乐，总在轧我的苗头（引注：打探底细），到底是姓蒋还是姓汪，但没敢公开赶我。

一九四二年三月某夜，他和程在楼上意外发现，弄堂里冲进一群日本便衣，敲打对面一扇大门捕人。程即从一张夹底方凳内，取了几份复写资料匆匆忙忙毁掉，之后才知是一场虚惊。再过了数天，程忽然就搬走了，临走时程说："你住下去吧，如果房东问起，就说我去南京了。"

这段遥远的对话，常让父亲感慨："两个人就这样同住了半年，关于假兄弟的情况，也只交谈了这么三句话，双方再没有做任何仔细的准备，以应对突然出现的盘问——万一被捕了，怎么准备口供？根本没想到，没有去做。"

[父亲致马希仁信]

我的假胞兄在何处谋生，公开职业是什么，他也不告诉我，只说他在"钢铁公司"，什么钢铁公司，也不能问。其实他打入了日本著名的特务机关"满铁"——满洲铁道株式会社，与他同事的有一个日籍的共产党员，另外在南京又有一日本共产党员、中共情报人员，都归我的领导人负责，程同他们有联系。我只做编辑杂志的事，另联系巡捕房警官和开警车之司机事。同程没有工作关系，只不过领导人叫我们俩住在一起，称兄弟（而且白天有时还同另外三四人一起吃饭碰头）。毛病就是此处……

一九四二年二三月间，父亲接到领导人通知，某日下午去大世界"三和楼"底层与一日本人见面，同桌有胡小姐（胡楣，即关露[1]），按计划由这位日本人（事后知此人即日共情报人员中西功）介绍他和胡小姐接编《女声》杂志，这本刊物由日本大使馆、日本海军报道部合办，主编佐藤俊子（一说佐藤春子），中西功是佐藤俊子的左派朋友之一。谈完，三人一起去北四川路一所公寓找佐藤，但她不在家。改日中西又约了他和胡小姐同去慈淑大楼斜对面日本咖啡馆（即解放前《大公报》原址）见面，四周全是日本人。在这样的环境里中西却用华语大谈珍珠港事变后的国际形势，旁若无人，使他和关露感到非常吃惊。

那次会面后他再没见到中西功和关露，多年后知道关露最终由中西功介绍去了《女声》（负责文艺部

1　左翼女作家，1937 年为电影《十字街头》插曲《春天里》作词（贺绿汀作曲）"春天里来百花香，朗里格朗里格朗里格朗……"

分，一九四二年我父亲被捕，她没出事），他则加入《先导》月刊的创刊和编辑工作，此杂志为汪伪陈公博背景，社长是我方系统的党员李时雨（时任汪伪保安司令部军法处长），组织上让他进入《市声》、《先导》两刊工作，要求他及时搜集各方面更多的资料。

写至上述这一节（二〇一五年四月），我在父亲书橱里发现了上世纪八十年代重刊本——關露《新舊時代》（民國廿九年七月初版，上海光明書局"光明文藝叢書"），打开扉页，即看到他写在扉页的大段文字：

> 这本小册子引起我一段回忆。一九四二年初，距太平洋战争爆发、日军进占租界不久，组织上通知我去大世界天津馆三和楼，在座除吴成方同志外有一个胡小姐和中先生，商量要胡、我两人去接编日本人佐藤俊子的《女声》（妇女杂志）。胡小姐比我长好几岁，身材矮小，穿藏青长毛绒大衣，面貌清秀，但鼻梁上有一显著的疤痕[1]。后来才知道，她便是久已闻名的关露。

1　苏青《续结婚十年·苏州夜话》讽刺时任《女声》编辑关露——"秋小姐（即关露）最近替一个异邦老处女作家（指佐藤俊子）编这本《妇女》，内容很平常，自然引不起社会上的注意。那秋小姐看去大约也有三十多岁了，谈吐很爱学交际花派头，打扮得花花绿绿的，只可惜鼻子做得稀奇古怪。原因是她在早年嫌自己的鼻梁过于塌了，由一个小美容院替她改造……"

而中先生则是中西功（这是日本汉字，如今写作"功"），他是日共，同程和生（对我假称胞弟）打入满铁工作，都受吴成方的领导。中西陪胡、我两人去北四川路一公寓找佐藤，佐藤不在家，侍者让我们进入屋内，地方甚小，陈设亦凌乱，似见主人不属爱好修饰者。翌日应中西之约，胡、我俩同去南京路慈淑大楼对面一个日本咖啡馆会面（抗战胜利后作《大公报》馆，今已改为某商店），这是一个日本人麇集的场所，四周满座，烟雾弥漫，充耳都是日语，若非身历其境，是不能领略其状的。中西却在这环境下用流利的华语，同我们谈太平洋战争的形势，称轴心国必败。胡谈话甚谨慎。当时我对她俩的政治身份均不了解。后来《女声》没有去，我应曹亚臣（乔理清，情报部党员）之约，去李时雨（党员，公开职务为汪伪保安司令部处长）办的《先导》当编辑，从此没再与胡会面。我始终没有再问过吴老，胡小姐究竟是什么人，但凭我的直觉，她准是与吴有关系的。

迨抗战胜利后，我与朱维基交游，从他闲谈中获知关露已去苏北解放区。朱不止一次地咒骂她做过"汉奸"（据说蒋锡金也经常指名大骂山门，表示义愤云云），我伪称不相识，未做任何辩解。事情隔了四十年，去年阅《新文学史料》记叙关露生平史实，才知1942年她还是去编《女声》并公开去东京参加了大东亚的什么文学会议，朱、蒋之骂盖出于此。关露是一个众所周知的女作家，参加过左联，在救亡运动的一些宣言上有她的署名，其作品有明显的进步倾向。即如本书结尾就有战争来源于私有制社会，要消灭战争，首先要反对私有制度之议论，其政治倾向是非常明确的。然而就在她发表本书二年后，她毫无顾虑地隔绝一切进步朋友，服从组织的分配打入日伪文化界公开活动了。她忍受了种种误会与辱骂。及至日本投降后她撤往苏北新四军，据说也曾为这段历史引起怀疑与审查云云。

关露原名胡楣，其妹即李剑华的爱人胡绣枫。据吴老云，关露是情报系统的党员干部，四十年代曾奉命去见过李士群云云。以上史料是《新文学史料》刊载所未道及者，近闲步书店购得此集，提笔记之，聊表悼念之忱。

一九八五年一月四日灯下

关露于一九三二年加入"左联"，同年入党，一九三九年经王安娜介绍给刘少文见面，同年冬被派去香港同廖承志、潘汉年见面，后者要她回沪到汪伪机关做策反工作，对外界不得为"汉奸"身份有所辩解，她服从了组织决定，接受任务工作到一九四一年底，然后再调去《女声》杂志社。

[《潘汉年传》／尹骐]

  ……潘汉年又叮嘱她（引注：关露）说："千万要记住，你在那里只能用耳朵和眼睛，不要用嘴巴。"又说："今后要有人说你是汉奸了，你可不要辩护，要是辩护就糟了。"关露点点头说："我不辩护。"……[1]

  一九四三年八月，关露作为汪伪妇女界作者代表去日本出席"第二届大东亚文学者代表大会"，一直在该刊工作，坚持到抗日战争胜利为止。一九四五年十月，国民党欲以"汉奸罪"起诉她（也清楚她曾参加"左联"），组织上调她去解放区，安排在新华社范长江处工作，不久即遭遇"汉奸罪"隔离审查，就此得患精神分裂症，愈后在建设大学、华北大学任教。一九五五年受潘汉年案株连入狱，一九五七年出狱，一九六七年起被关入秦城监狱八年，一九八二年三月

1　萧阳文：《一个不该被遗忘的女作家关露》，《新文学史料》，1983 年第 2 期。

中央组织部作出《关于对关露同志的平反决定》，十
个月后，关露自杀去世。

　　父亲在一九八五年一次有关情报工作的发言（稿）
中说："关于关露同志的情况，文艺界在纪念她，情
报系统也应当纪念她。"

二

　　父亲参加筹备《先导》杂志的工作（并无社址，
登记地为李时雨住处），地点在萨坡赛路李复石医生
家，这地方与辣斐德路他的住所只隔三四百米距离，
李医生从不在家里会客，每天午饭后即去锦江茶室，
直到晚饭后回来。他感觉这个地点人员的来往较杂，
甚至专跑西安八路军办事处的尤迁（手持日本特务机
关徐州分机关颁发的特种通行证）都住在此处。

[《我的一个世纪》／董竹君]
　　　　四川人李云仙(又名李复石)同志，中共党员，
　　我们称呼他李云老，他是中共地下党在上海的联

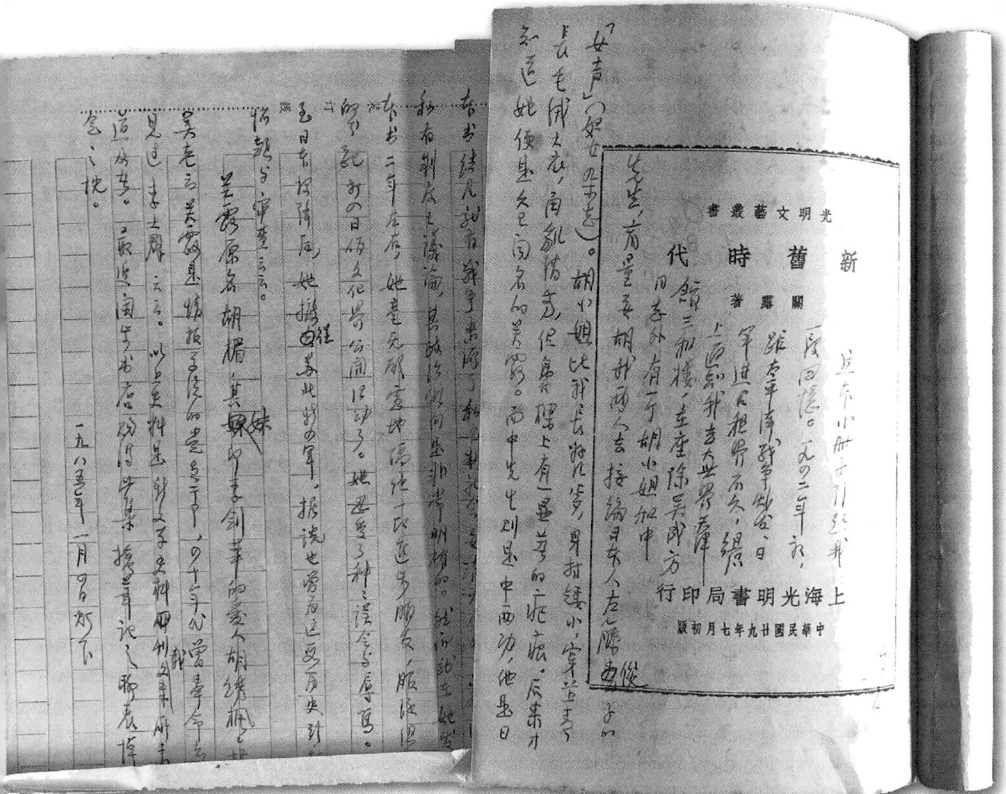

父亲在关露小说扉页上附言，1985 年。

上左 1945 年 3 月在上海电影检查委员会任干事时的证件照，时年 26 岁。

上右 在洪家合影，1946 年夏。

下 萧心正，1946 年。

络员……依靠对外称为干女儿的王雪云同志（解放后任庐山幼儿园园长）带领着曹荻秋的幼孩（曹荻秋在解放区，孩子生下后无法抚养，托李云老照顾的），陪伴他共同居住在上海萨坡赛路，生活简朴……李云老特长中医，依靠半收半送的少数门诊费维持生活。我在经济上常常支持他。这位老人喜欢锦江茶室，茶室离他家又近，几乎三餐都在那里。他是被锦江欢迎的多年免费常客。他以医生身份和我接触，掩人耳目的。他也经常给我们看病。我从菲律宾回国后，才知他已经去世……

（父为此文加注）

1942 年 5 月，吴成方介绍我去李复石家，同时晤面的有程和生（郑文道）、沈静文、黄英，尤迁就住李老家阳台上。以上数人中午共饭。那时就知道李老常去锦江的故事。黄克诚的爱人怀孕来沪待产，就住李老家的后间，对外称干女儿，由他掩护。有人说何克希是他的女婿。吴成方说，这房子在抗战前，我党办过通讯社。

7 月底，我突然被日宪兵逮捕，小车就从他门下经过，望见阳台上灯光未熄时，已半夜 1 点多了。"文革"时有人来向我调查曹荻秋有没有到过李老家，我答未见。今阅此始悉其中原因。

在这段难忘的日子里，他发觉程和生在某天竟然也走了进来，与身穿全套邮递员号服、骑邮局自行车的陈来生谈事，大致内容就是"有一批资料已经转移了（事先他已经知道某同志曾整理这些资料）……"之后一天，领导人告诫大家，这幢房子有暗号，各人进来之前，要抬头看一看阳台北面，如果开了一扇窗，就是安全的……几件事联系在一起，他感觉似乎出了什么问题，此地有什么必要集中那么多人？但组织规则如此：不接通知，不打听或不猜测。

事情追溯到一九三九年十一月。日本警视厅特高第一课开始清查日共重整旗鼓的活动。一九四一年九月，事因某一知情者无意间供出"佐尔格案"的宫木（日方没有此人资料），宫木被捕，供出"佐尔格小组"，导致日本警方立案侦查，历时八个月侦破全案，捕获、审讯与该案有关的男女三十五人，其中日籍情报人员为十一人（都有名有姓可查），该机构极为精干。

[父亲笔记]

1939/11—1941/10/18

（日本警视厅根本不知宫木为何等人，据宫

木口供破获佐尔格小组，纯属意外。[1]）

1939 年警方整肃日共，捕获已被共产国际开除的伊东立。

伊于 1939/8 参加满铁东京研究所，1940 年假释，为警局密探之嫌疑人，与尾崎[2]是同乡同学。

1941/9（突破缺口）

伊东立妻子柳青久喜代，日本某军需品厂工人，属日共妇女支部。因该支部另一成员牵连而被捕。柳青久喜代向警局承认是北林智子外甥女——北林智子与美共日本科有关系，主要任务是搜集日军情报，通过美共送往莫斯科。

十四年前，北林智子是宫木在洛杉矶的房东太太，由此，北林智子供出了宫木。

10/11

宫木被捕。

10/12

清晨，宫木招供小组名单：佐尔格、伏开利

1　1939 年，日警方曾搜出石井花子（佐的日本女友）一打火机，实为微型照相机，石称是为佐清扫住处时所拿，其余一无所知。警方无从立案。

2　尾崎即尾崎秀实，日共党员，《阿Q正传》日文版译者之一，《朝日新闻》驻沪资深记者，与鲁迅、田汉、夏衍等均有交往，后回国，1937 年成为日本首相近卫文麿私人顾问。

克、克劳森、尾崎和川井。

10/13

　　警方监视宫木住宅，逮捕译员秋山，及宫木之女情报员久津见子。

10/15

　　尾崎秀实（大崎）当天被捕，当天全部招供。

　　（当天佐尔格一案确立。佐与驻日大使奥登将军关系密切，出入档案室自由。既有亲纳粹派《地理政治》、又有反纳粹派《交易所报》的介绍信。）

10/16

　　影响所及——引发日本内阁总辞职。近卫文麿辞去首相职务（被软禁于帝国饭店），东乡上台。

10/18

　　清晨，佐尔格小组欧洲成员被一网打尽。

　　"佐案"暴露后，日方大肆搜捕嫌疑分子，一九四二年六月，仅上海日本当局根据东京警方提供的情况，就逮捕了给中共提供情报的日籍嫌疑分子约百人，捕面甚宽，中西功是其中之一。

[父亲致马希仁信]

四二年日本出了一件震动帝国的大间谍案，苏联的著名国际谍报人员佐尔格，同首相近卫文麿的智囊团重要人物建立了密切的联系（佐的公开身份是德国驻日大使馆人员），结果受到了大破坏（佐有一个最高级小组都被捕）。日本军方震惊万状，立即在国内外开展大清查，对象是日本的左倾人物。（按：战前有过一次大破坏，日共中央停止活动。侵华战争爆发后，因为需要人才，允许左倾人士为日军工作，他们的档案都被军警掌握，日共和左倾人士很容易暴露。）四二年北京、上海开始行动，日共中人被捕。南京和上海受我部领导的日籍共产党员被捕了。上海的一位，就是与我假胞兄同在"满铁"的调查班内工作。我同此人也见过面（为办杂志，我同关露曾同他谈话二次，正准备接编一个日本人办的刊物），但该日本人被秘密逮捕后（程和生不知道），他与南京方面的日本人一同被押回东京审问。他们供出了程和生的住址（新老二址，旧的即我住在那里）。被捕当天上午，我还与领导人、程和生等数人一起见面吃饭的，他们没有叫我搬走，没嘱咐我做应付日军的突然

袭击和口供的准备。我只觉得出了什么事，在布
置运走别处的资料，似乎同我没有什么关系似
的——这样，七月二十九日半夜里，日本宪兵总
司令部派出的两路人马，同时并进，捉牢我这个
"兄弟"，另外同时也捉牢了我的"胞兄"和另
一个同住的党员。

　　他于一九四二年七月二十九日深夜一时许突然被
捕，直至多年之后，他才知道日方在捕前已来"斐邨"
查核，女房东已经知道，故宪兵一来，也就开门了。宪
兵上楼问他姓名，他答：程维德。宪兵拿出照片对照后问：
程和生是你什么人？他答：是我哥哥。问：他去哪里了？
他答：去南京了。当场宪兵大力打他耳光，把他逮走。
他事后知道，与此同时，宪兵已在另处逮捕了程和生与
倪子朴，押往宪兵司令部途中，经过北四川路桥（一说
是今江西中路汉口路），程突然跳车，受伤甚重。

[父亲致马希仁信]
　　　一九四二年七月二十九日那夜，我吃饭后去
　　福熙坊，天很热，与心正两人走上向北的晒台，
　　向福熙路（引注：今延安中路）眺望，对面正是
　　外国坟山（即今之静安公园），黑黝黝的，夜光
　　隐隐然照见那些白森森的大理石墓碑。不知怎

么，心里惆怅，很不愉快。十二点多步行回辣斐德路（萨坡赛路口东一条大弄堂，外面有蒋葆儒产科医师招牌的，我就租这个产科医生的亭子间），上床大概一点了，过不多久，突然前面电铃声大作，朦胧间我想是谁家生孩子了，后门的皮鞋声也大作，惊起一看，后门日本人冲入，我知道逃不了，心里却特别冷静。小汽车（把我揿到车座下方）经过萨坡赛路北行，经过我与领导人经常碰头的一个医生（李复石医生，老党员，挂中医牌其实不看病）家门口，经过你妹夫家的门口，我想起你们都安睡，别矣。到了北四川路桥北向的大公寓，即日本宪兵司令部。

他根本不明白被捕的原因——但能估计到问题出在程和生方面，因为宪兵进来先就追问程的新地址。

他第一时间想的是，必须隐瞒自己进入汪伪民协会编辑《市声》的经历，这工作是直接由领导人通过一汪伪人员介绍的，说出这层关系，将直接危害领导人的安全，其次，也将暴露他和程和生假兄弟的关系。当夜押他至北四川路日宪兵总部，即刑讯逼供程和生的地址。他坚持说程已去了南京，并捏造了一南京假地址。对方毫不理会，边打边问半个多小时，没有口供。最后收监。

[父亲致马希仁信]

当夜我进宪兵队就被打，追问兄的住址，我不知道。过一忽儿，一日军官匆忙冲入向审我的尉官报告什么什么云云，"蓬"地叫了一声，用手比划头部，我意会到，大概在捉他，他跳车被打死了。后来才知道，车过北四川路桥上行车速较慢时，他跳出篷车（他的一辆是敞篷车），脑部受重伤。数日后在刑审间隙，他们领我去宪兵病房与胞兄会面，只呆一二分钟就分别，一直没知下落。"文革"后，从被捕的原日共的回忆录中得悉，假胞兄在宪兵队跳楼壮烈牺牲了。这个同志非常正派。我在宪兵队内根本不知道是在什么问题上出了错而被捕。

翌日起连续两天，他经受宪兵反复刑审，逼问吴成方（只知化名刘国栋）的住址及程与吴之关系，他都顶住了，没有口供。

一周后，由东京警视厅一课和东京法院来人审讯，重点：1. 追逼领导人的住址及活动；2. 程和生的政治身份及与日本人的来往；3. 他的政治身份和上海亲友社会关系、《先导》投稿人地址。东京警方与法警均动用严刑，却没有得获口供——他始终坚称，程是胞兄，安徽太和人。

关于刑讯细节，多年来我只记得父亲偶与母亲的片语只言，如："让我坐到浴缸里⋯⋯"然后就是他忽然意识到的沉默。

[《六十余年前的特殊"口述历史"——〈中共谍报团李德生讯问记录〉书后》/ 程兆奇]

　　⋯⋯

李德生和上海情报科南京组其他成员被捕后的情况，今多称十分英勇，如"李德生的一口牙齿都被打掉"，对革命信念"仍信守不渝"云云。

　　⋯⋯

中共背景被捕者的处境无疑是最差的，除了"敌国"的因素，"反共"是战时日本的最主要国策之一。与李德生一起被捕的上海情报科南京组成员程和生被捕后两次自杀，原因不详，如果推测和宫城与德（引注：日共党员，即前文提及的"宫木"，因日本人名字中的汉字假名发音不固定而翻译有所不同）的处境和心境相同，大概虽不中亦不太远。

所谓"慷慨捐生易，从容赴死难"，从这些亲历者所述"うつつ責め"[1]等求死不得的拷问看，

　　1　江户时代盛行的"不让睡觉、使人持续梦逝状态"的拷问。又译：让人大脑一片空白的审问。

"法制社会"的日本牢房是一种更难熬的炼狱。

……

尾崎的二封申述书，分别作于判处死刑的之前和之后，确实已不复刚刚被捕时对信仰的守持。但即使是信仰坚定的佐尔格，面对讯问，也是有问必答。强调此点不是为了表示佐尔格还不够坚贞，而是为了说明定力再高，终有限度。

东京来人审问——自三四岁起，问经历、家庭人员，问父母名字、职业等，直至他被捕前任《先导》编辑为止，十分详备。他发现，所幸日方没去《先导》调查，否则极可能在他进入《先导》的细节上露破绽，因而，也就没发现他的假经历和假兄弟问题，更也由此可知，程和生没一点口供——虽日方一直追逼他关于直接领导的情况，常用你"哥哥"已全部招供引诱，他仍然坚称两人是兄弟关系，此外一概不知。记得有一审，日方指明了他就是程的"联络员"，反而露出了根本不了解情况的马脚。

被捕后第三天上午，军曹审讯人带他去宪兵医院病房三楼看"哥哥"。他走进房内，见程与几名宪兵病员同住一室，程面色苍白，头部包扎了很厚的纱布，小茶几上摆了多瓶菊花牌炼乳。他握住程的手，程紧紧把他的手贴到心口，带着坚定的语气说"完了"

两字（他理解是为理想牺牲，且有"一起牺牲了"的含义），程再没说一字。待他一开口："我刚从金华到上海来……"一语未毕，即被军曹喝住禁止讲话。两人凝视片刻，仅仅一二分钟，他就被带下去刑讯，从此再没有与程见过面。

记得老程的病床边，倪子朴靠墙坐着，低着头，没看他一眼。

在东京来人的审讯室里，他看到了桌上有"李德生"案卷。另一次见桌上摊有毛笔字名单，约七八人，开头二三人姓"景"，有倪子朴的名字，没有姓"丁"（他）的。

需要说明：此李德生非红军将领李德生。

[《党史博览》http://jczs.news.sina.com.cn]

　　毛泽东问："哪个是李德生？"周恩来说："李德生同志是十二军军长，现任安徽省委第一书记兼省革委会主任。"在党的九届一中全会上，毛泽东又一次点名："我再看看李德生同志。"

[《六十余年前的特殊"口述历史"——〈中共谍报团李德生讯问记录〉书后》／程兆奇／引《佐尔格事件4》／卷首附言]

　　……

　　李（德生）为中国共产党上海情报科负责人，

西里（龙夫）、中西功等日本人活动家在他领导下活动。从 1935 年到 1941 年（原文如此——引者），他们的情报相当大量地传给了尾崎秀实，成为佐尔格判断的基础。反过来说，佐尔格、尾崎的情报，记录（指讯问记录，下同——引者）记载的事实，也可认为十分可能通过中西——西里——李，流向中共中央。据西里记录，将他提供的情报传达给李的陈一峰（原注：倪兆鱼［即倪兆渔］——引者）说，日本人的情报活动延安也知道。笔者自己解放后在旅大市和中国要人会见时，亲耳听此人说，战时在上海与西里和中西一同从事情报活动，对他们的献身活动深深感谢，这些情报极其有用，受到毛主席的嘉奖。

……

佐尔格案件发生后，中共上海情报科的日本人中共党员中西功（公开身份为满铁调查部上海事务所属员）、中共党员西里龙夫（公开身份为日本同盟社南京支社首席记者）被逮捕，上海情报科南京组负责人李德生与汪锦元、陈一峰、程和生等旋即亦遭逮捕。《中共谍报团李德生讯问记录》是日本警视厅特高一课于 1942 年（昭和十七年）9 月（引注：父亲见桌上"李德生"案卷，却为该年 8 月）至次年 1 月对李德生十六次法庭调查的记录。李德生在调查中，供出了上海情报科的组织、人员、日常活动、联络方法、工作重心、获取传递情报的途径手法以及所获情报本身。李德生的回答事无巨细，十分详尽。

被捕后，父亲即伪造了我祖父母姓名、职业、籍贯，自述从小与哥哥程和生两地生活，多年不联系，互不了解，抗战中父母遭日机轰炸死亡，毕业后在内地编写文艺杂志宣传抗日，得知哥哥程和生在钢铁公司做事，近期特意由金华到上海找哥哥谋生。（以便各人对自己的口供负责。）

他承认担任了汪伪刊物编辑，原在桂林、昆明等地做抗战文化工作，宣传抗日，对国民党腐败不满，之后在金华做文化工作，受到当时国民党文人纷纷投向南京、上海参加"和平运动"的影响，决意脱离金华抗战区来上海做"和运"工作，编辑宣传"和平文化"内容——他心里明白，这样的回答，符合"必须坚持党分配的掩护身份"这一组织原则。

[父亲致马希仁信]

我在宪兵队吃了不少苦，敌人一个劲逼问领导人住址，我都能顶住。难于应付的是口供（由于牵连东京，所以审问者是日本警视厅和东京法院，从东京来），这胞兄弟父母的姓名职业，兄弟二人从四岁到被捕，我都硬着头皮胡编（万一穿帮，反正一死），结果一字也没被拆穿（原来假胞兄牺牲了！）。我防止上海社会关系和两家杂志牵出别人，都没有被发觉（引注：原文如此），他们档案里没有我的名字。为什么要判罪？我承认了从国民党抗战区金华来谋生的，刚到上海，没有朋友，与假胞兄的历史一刀割断，只承认为国民党抗战区抗日宣传写文章，而现在宣传和平文化运动。这样大概作为历史抗日分子，查《六法全书》，用文讲法律，是被捕前不知道的（引注：原文如此），说复杂非常复杂，说简单非常简单，我就那么糊里糊涂被打入监狱，巧妙的是一个也没有牵连到别人。最难对付的是查朋友，上海没有，只有抗战区的桂林、昆明写一堆，而且年轻，一次次背假口供（四岁到二十七岁，报大了五岁），一次也没有出漏洞。

一九四二年同期被捕人员，南京方面是李德生、汪锦元、陈三白（陈一峰、陈汝周），上海方面是他、程和生、倪子朴。被捕后一个多星期，南京三人被移解到上海。

在监中，他曾与南京陈三白同住一天。当天陈审讯回监说，你是程和生弟弟？他回答说是，并问陈是怎么认识老程的。对方说："我们是同案。"

[父亲致马希仁信]

一星期后，南京被捕的（共三人）也解到上海，其中一人，是汪伪中央通讯社采访主任，日本人错关他在我同一个号子，他坐在我旁边，知道我是程和生弟，才告诉我是同案，别的没说话，只一天，他就被调了号子。还有南京一人姓汪（即汪锦元），母为日本人，时为汪精卫的亲信秘书，现尚健在，很巧，住我隔壁弄内，其妻"文革"自杀，孑然一人。他说没有办法，日本人都知道了——即指西里龙夫招了口供（当天方志达正去李德生处，发现日军搜查，假口是病人，得以脱身）。他们的党员身份及地址，都是日共西里龙夫招供的，而程和生的两个地址，中西功都知道，程和生和我等三人被捕，都因日本人知道了地址，我住的辣斐德路斐邨，中西熟悉，不招供怎么知道住址？程也因中西供出地址而牺牲。西里龙夫供出四人，被捉三人。

基本审结阶段的某天，他看到汪锦元在五号监门口洗脸，汪从栅栏外招呼他说："我是南京汪锦元，我们要去东京受审，你要做准备。"

[**日本宪兵司令部口供／东京来人审讯口供／选自父亲
六十年代第N次《申诉报告》**]

问：你在《先导》当编辑同哪些人来往？

答：只同《先导》主办人保安司令部李时雨
来往。

问：你同哪些写稿人来往？

答：我同作者并不认识，都是投稿寄来。

问：谁介绍你进《先导》当编辑？

答：我凭自己本领考入，没有介绍人。

问：你没有一个朋友？

答：有很多朋友，都在内地。（报名字）

问：他们是什么人？

答：写稿朋友。

问：有何联系？

答：现在已无联系。（这一段反复问多次）

问：党组织的情况是怎样的？

答：我不是共产党，不清楚。

问：我们从东京来，你们的组织是这样的吗？

（说毕在纸上画出"🧑🧑🧑"）

答：不知道。

问（指小圆点）：就是这样的细胞组织？

答：不知道。

问：《先导》杂志的目的和内容？

答：宣传和平运动的大型新刊物，以反对和平八股、推广和平运动的新文化运动为创刊目的，得到陈公博的支持。

问：什么叫和平八股？

答：就是只说和平政府好，不敢说一点坏，这样的宣传人民已经不听了。

问：你在上海有什么抗日活动？

答：没有。

问：你对和平运动有什么看法？

答：我的看法和发刊词一样，反对和平八股、抗战八股、共产八股，提倡文化自由，强调纯学术研究，发起建设新文化的运动。《先导》的主张就是我的主张。

问：你对南京政府的看法如何？

答：我不赞成南京政府官员的贪污行为，最近陈公博提倡廉洁政治，《先导》响应他的主张，我也赞成这个主张。

问：什么叫大东亚共荣圈？

答：指一切亚洲国家为了共同的利益，在政治、经济、军事、文化上全面合作，互相提携，共同繁荣。

问：你对德苏战争的前途作何估计？

答：我对国际问题没有研究，没有资格回答这问题。但我认为双方都有力量，未来形势如何，要看双方战争中的变化来决定。

（结案时问答）

问：你打算今后出去干什么？

答：我仍旧回《先导》当编辑。或者做生意去。

问：你愿意仍旧做和平文化工作么？

答：愿意做和平文化工作。

历经多次刑讯，最后由日宪兵司令部重审。

至一九四二年十月，他已经下肢瘫痪，延至开大庭前一二天，自宪兵司令部被解至江湾"登部队"（7330部队，司令部一度设于"格林文纳公寓"）军法庭判决，他的双腿已不能站立，坐在地上，第一个判决。

[判前口供／选自父亲六十年代第 N 次《申诉报告》（按：这次口供，倪子朴、陈三白在场听到）]

问：什么名字？

答：程维德。

问：什么职业？何处办公？

答：《先导》月刊编辑。（并答该社地址）

问：程和生是你什么人？

答：哥哥。

问：你从哪里来？

答：今年四月从金华来。

问：你在金华从事什么活动？

答：宣传抗战。

问：你到上海做什么活动？有哪些抗日活动？

答：编辑《先导》，宣传"和运"，绝无抗日活动。

问：你今后还去金华抗日区么？

答：不去。

问：你愿意在和平区居留么？

答：愿意。

问：你今后干什么？

答：回《先导》去。

问：今后愿为南京政府做和平文化工作么？

答：愿做和平文化工作。

三

他以"妨碍社会罪"被判刑七年，判前因于日本宪兵监狱(在《一切已归平静》中我误写为"提篮桥")，获刑后关入南市车站路汪伪监狱。

[父亲《申诉报告》／一九六三年三月]

　　同时被判的有倪子朴、陈三白。我一直不了解组织被破坏的原因及案情，直到 12 月份判刑后同倪关在一个号子内，从倪口中才了解是两个日共（中西功即其中之一）在东京被捕，供出南京、上海两地关系及住址，引起两地破坏。（当时我尚不了解倪在被捕后有否叛变行为，直到 1954 年才知道。）

[父亲致马希仁信]

　　在那里关了四个月，同年十一月底，被解往江湾日军军法法庭判决七年，这才改移到汪伪监狱执行监禁，你来探监，我就在那处，谅必记得。关到四三年七八月因为上海囚粮有问题（南市是属于汪伪地方法院管的看守所，只关一般的刑事犯），就分散犯人，一部分人解到提篮桥大监狱，我争取不成，就同近百人被解往杭州监狱（正式的大牢，省一级），这才有了你在南京同我表兄联络的事，因杭州老监狱长与我表兄关系较好，我在四四年十二月底通过此老的关系，得以"保外就医"的，但比原定坐满刑期三分之一可得以"假释"，只早了两三个月而已。

从杭州监狱发
1943.6.30—1944.11.22
WIENER
RODGER & WIENER
181 KIANGSE ROAD,
PHONE 11228

父亲狱中发出信件。

入狱期间，他半身瘫痪，心脏扩大。组织（吴成方）关心他，通过萧转来一次生活费，请医生到监房看诊，送针药；父亲的二姐、姐夫瞿凤成不时送钱物到狱中；同乡同党、联系人萧心正多次探狱；萧的姐姐萧慕湘（吴江严墓县长沈立群之妻）、弟弟萧跃庭都和他通信不断，不离不弃（至1990年代，萧心正把我父亲几十封盖有狱方"查讫"红章的来信装订奉还）。

[父亲致萧心正信]

……请买①五分簿（写作用，如价贵，改购切纸公司16开白报纸另洋铁夹子一个）②500字稿纸（便宜者）③毛笔、写字纸、墨汁④邮票、较大之信封、论语、孟子及老庄……

[父亲致萧心正信]

……请买绿茶2元一两和一元一两各二两，是朋友(狱内)托买，钱已交我，望到好的店去买。恐姊忘记，故托你，叫我姊带红茶来，放在香烟筒中。

[父亲致萧心正信]

……Row-miam就是一种你我爱吃的"炒面"，这是用西文拼华音的所以发音也似北方话"炒面"。（在狱中饥饿总是想吃。）我的一篇马虎作文如何？虽然写得草率，但是我想想：蛮有趣的。

接到东西，我想送赠你一点物品，《诗经》里二句"鹡鸰在原，兄弟急难"。如黄山谷有诗："急雪鹡鸰相并影，惊风鸿雁不成行。"鹡鸰、鸿雁都是集群鸟，象征兄弟朋友，寒冷下雪时候，鹡鸰互相依傍取暖，所以《诗经》上说兄弟，在急难中的样子，而今日我们依傍着过渡这一寒冷的冬天，以实情论确合《诗经》上二句话的。

[父亲致萧心正信]

……物价之贵使人害怕，旬日之内，米价由千元之余涨至 2600 元左右，三号粉，变成全是麸皮的"面粉"，起码山东松姜饼涨至 22 元一斤（我到杭时，只有 8 元 5 一斤），宁波白年糕每条 1 元 9，如此预料，到过年时，大饼也许会涨到 30 元一斤，宁波年糕将二三元一条吧，这样涨真要穷人饿死。前三四天监旁的苦儿院中，大闹大叫，据说因每日食粮本来至少，被主管掺一半豆，烧出来的是豆米浆，苦儿为了生死问题拒绝接受，都齐心不吃，高声大叫："饿死了。"救命声达户外，许多人都张望着，而马路上的小孩们，也应着"饿死了"。这是十分凄厉的场面，一些管理人员进来呼喝，竟为大众愤怒的场面吓退了，多么厉害的管理人员一无办法……

这一次，一共吃了四次豆饭，斗争了三次成功，现在的饭同浆糊一样厚。我能吃苦，请放心。

[父亲致萧心正信]

　　……现在写信觉得很不自在，没有桌椅，席上垫一本书当做桌子，低着脖子，身体僵着写，头脑也似乎笨起来……四二年是受苦的时候，现在想来事事可记，却似烟一般地藏了，可是搬了场，每餐除了盐水老苋菜，便一无佐膳之物，更遑论酒肉……

　　关于家庭怕是极度想念的，我并非希望回去，而在想家如何在此境况下过渡：爸的头晕是高血压，暮年的失意，我予他的刺激，母亲清瘦辛苦，不知在如何心境下想同我见面。妹妹大概二十岁吧，已订了婚待嫁了，我在这里，不能说一定没有什么更大的不幸会发生呢，我常常预计一个巨浪打来，也许是过虑（也愿是过虑），我常为这些刺痛着……

[父亲致萧心正信]

　　……近有人（在南市监狱时相识的）病死。我很可怜他，写快信通知他家里。昨天，此人母亲（素不相识）一见到我，拉着我拼命地哭。我安慰她，她哭了许久，忽然想起，拿出一袋豆说："先生，给你的！"我窘极推辞。"先生，昨天车上挤煞了，这一点东西，特意从乡下带来，你一定要接受。"把豆往我口袋里倒。我感到这老人悲伤的心。我茫然。苍白的头发，一顶绒线帽，穿的棉披肩很臃肿，泪水像小溪一样在流淌。她哆嗦着把儿子一堆旧衣裳理好，请这里的人到儿子坟前焚烧，是要钱的。我为她出了60元。老人见后大哭了一阵："我只有这么个儿子啊，我要靠他吃饭啊……"此事发生在43年12月31日上午。

［父亲致萧心正信］

……你们不必赶来看我，我已买了两斤饼，两斤炒米粉，如寄信，请寄来①《飘》②《经济学》③英汉字典④《欧洲史》。

中秋节晚饭是吃骨牌大小五块豆腐和菜脚——果然在饭后，朋友送来一碗蛋和肉，心里却闷闷的，不痛快。

连日来已有近廿天了，六个人同住……屋内臭虫多极，咬得我连夜失眠，困了水门汀（引注：睡水泥地），饼等又涨，外面是每斤9元，我叫看守买每个10—12元秤上又不足。

你的经济也成问题，更别说我的生活了，生活、生活、钱、钱，真把我的心压抑得将停止跳动。我是在贫困中生活过来，却从不惶惧，反能很快乐地在贫困中生长着，但自从跌入这圈子里后，"贫困"二字，日夜在我眼前，装着吃人的鬼相在恐吓我，使我不能不觉得它力量的可怖，而在它面前恐怖得哆嗦。从前我们用智力、劳动力同贫困做斗争，冲破它的包围……

大约有近十天，过着极度仓皇不安的日子，起先向人借钱买了二个饼，补充食粮，维持三四天，后被借的同狱者，钱也不多，没有深切的感情，不好开口。只望寄钱来，一到傍晚饿得难熬……我向郑作书询问告借，昨天"双十节"睁着眼睛等他。可是今天（十月十一），突然他到这里来，出乎意料地送我一碗肉和四只蛋。很有趣地告诉我，他自己也在等钱用，同我一样窘，所以，接到我信后无言可复。昨他才有钱，又借到法币百元，像被吊在绳索上的一颗心才松了下来……这百元钱大概可维持十天左右（欠30元，故仅70元可用）。

现在这里，规定每人每天吃五合米，这是糙米，打这以后，只有四合，改为五两面粉和两合半糙米，其中被烧饭的揩油外，所能入口充饥的是少得稀奇，面粉差不多是麸皮和玉蜀黍粉，上午九时吃麸皮玉蜀黍粉汤，同开水的距离相差有限，吃下去肚子涨痛，半小时后便饿得哇哇叫。下午二时半左右开饭，同乡下厚粥一样，是没有米粒的烂米浆，每人两小碗，这要到下一天上午九时，才有面汤吃。在过去，我很少获尝得饥饿的滋味，现在很有经验了，在上海（南市监狱）时，佐膳的菜完全没有，连盐也没有，因这里有三四十亩菜园，自己种，故在下午吃烂饭时，有几十条菜皮用水煮了赠送给我们，种的菜是外面菜贩买走的，所入之款可以使"老板"（狱中主管）们吃肉、抽烟，甚至置家产。我们所吃的一般是所弃之菜，在上海是垃圾箱瘪三拾取的东西。

［父亲致萧慕湘（萧心正姐）信］

湘姊：

开口第一声"很好吃"，要谢谢你对我的关心。我在吃的时候，心里想笑出来，现在居然，不要做事情，只须伸手拿饭、张口吃菜好了。虽然你们送来的菜，有一些可怜我的成分在里面，但我倒似乎只觉得老天帮我忙，因为在外面没有吃，太穷，特地把我放在这里，让我做一做阔人，享享福。的确，有许多人以为我很阔，真要笑不出、哭不出，我哪里配做阔客呢？只是一个空心大佬倌！

这次多亏心正为我忙了不少，连二个文俊文

娟（引注：湘姊子女）也特地来看我这位赖皮先生，将来回家时，请他们看一次戏是一定的！

上海物价很高，听到米买一千六百一担，静静想来，也为你们担心！

但愿你们全家康健，快乐过年！

[父亲致萧心正信]

……上午九十时光景发过第一顿早餐，极粗等的面粉做的面，本是从我这头一号房间发起，可今天从后边发过来，后边是病房，肺病什么病都有，面的铅碗又不洗，如是轮到我们，就是很脏的碗，先有我们房中人叫起来，这是要传染的事，那些饭间主任（顶混蛋的东西），引起我莫大的怒火，高叫起来，那混蛋的家伙就过来高声骂："哪一个混蛋？什么东西……"你想谁能受这样的辱骂？他是什么东西配骂我？我一肚子火回骂："你是什么东西，科里去！"一开门就被拉出去了。这样的火越升越高，一到科里，他在科长前大骂，我看他骂得不成话，也不顾自己的地位，竟在科室发出最大的怒火，不顾一切地吼骂了出来，那时我的血管将崩裂，完全换了一个人了。隔壁的最高官长被声音惊动出来，出乎他的意料，竟来这么一个倔强的小伙子，于是连忙摇手止声，向我问话，开始用威严兼并口吻问，我堂堂地回复"容易传染"的理由，也声述对方的辱骂。
他用他的立场说了许多警戒的话，说我火太盛，
不应在监狱科室大闹，太不成话。我昂然地申
辩，不屈地回答，引起他大怒，双手拍着桌子，
前后达几十下。科里为之惊惶，我却出乎寻常的
镇静，毫不能使我气馁，不怕碰钉子，为了大众，
又不是为了我自己，似乎成了一个铁铸的心，软
软硬硬达一时半之久，我毫不退却；后来，他又
软如绵地说了许多安慰的话，可是又被我一顶，
引起他大怒，接着他又平静了，又劝解。本来我
如此态度应带一副镣，但没有，他只责罚我打十
记手心，以惩我在科中大闹（实在我在科里骂着，
使他们觉得失面子，未免难堪），这依然不能使
我畏缩，我把竹板给他，把手伸着竟由他亲自
动手在我手心上打了五下，比小学生打手心轻，
皮肉没有痛，可是觉得难免侮辱我的面子而已，
自然也是不得不他才打的，为了他的尊严，不会
顾及我的体面。到底我的地位是受管束的人——
如此以后，大概尚知我气愤，由他与科长再三好
意安慰，说有意见，尽可供献，切勿火气太大，
又说："你在外面是编辑，那'主任'（管伙食）
只是起码的东西，辱没你的人格了！"对方据说
处罚记过（是否记过无从知悉）。

如此二小时的纠纷，我又自然回来了。我踏着坚定的脚步似乎是一个战争回来的战士，正气仍充满了胸膛，使自己惊奇，竟如此镇定、倔强……这是我出生来未有的了。大部分房间全有人间打听，很担心我的结果，我很觉痛快。我疾恶如仇，脾气一发，不怕天多高，地多厚，这也有原因，对于没法早日外出的希望已取消，绝望……便有怒火在，冲出来了，此后曾提过许多意见，为了饭的问题，常有意见，我也由太过沉默的态度变为发言人，反正我要住在这里，住下去我必不沉然，为了多数人有讲话的必要。

[父亲致萧心正信]

……前天科长特别告诉我，要我同石二人住一小间，且可出房在做工场（撕蔴皮）中记记账，优待我。再有一个青年成员同我很好，竟也是一个主任，竟常到我牢房内，在戏台似的板床上屈膝相谈，我得到不少方便，他曾请求科中要我教他和最高长官的儿子的书，科长为了地位，实际尚未答应，可是慢慢地感情融洽，我可得些方便。

[父亲致萧心正信]

……你劝我写些回忆，我准备写，可是现在两条腿不听话，屈着坐，把膝盖做台面写不到一小时就甚痛了，胸口也痛，不过这些并不会阻碍我的手，我怕的不是这些疼痛，而是四周乱哄哄，头痛，昏沉沉的。

有一个广西人，对他同情，我把一条旧的卫生裤送给他，像这些毫无家属接济的人很可怜。

我成为一个慷慨的人，今天又补助了一个朋（难）友100元药费，因为这人一点钱也没有，害很重的伤寒，虽然我很穷，也要人帮助，看到人病危引起同情心，同时也引起好的影响，不论同居者还是差役都对我有好印象，不过我用钱还是很谨慎。最近零星送人210元，一半是同情，过去同室的蒋君，在沪寄我200元。蒋后来又送我700元……

[父亲致萧心正信]

……这里要开一个工场，制火柴和盒子，他们认为我是个有头脑会办事的人，叫我记记账，管理管理，有70个人在做，我行动上比较自由。工场四周有个花园，我想能栽花，很美，这是块无人地，我计划除继续写作看书外，工场事务较轻，当个园丁种些花，能否寄些种子？老科长人很和善。

在我心上的事，有二件尚难打开：一是医药问题，二是合作社。这里的人90%都生疮，老板无药供给，我计划在每批货的工资下，提几成

杭州狱中留影，1944 年。
背文："照已摄两张，玻璃底版，请姊寄家，告诉他们，我看上去判若两人，在这里
是极时髦的。"

左　1942 年，上海。

上右　祖父去世时父亲佩黑纱照，1945 年。

下右　在苏州税务局工作期间，1948 年 5 月。

作药费，还有存款中（利润）七折八扣给了这里的茶房，我当面责问老板得改进。

糊盒的纸条带被揩油，上次发出二十万匣，短少了一万匣的材料——闹了纠纷使我头痛……工场中现在乱哄哄地议论着，因为刚才发过来的米面稀饭，工人们很是满意，其实这米是小鸡吃的东西，都是草子和砂粒……这一个月中，我每日上午八时离宿舍，下午六时回房间，身体很自在。

[父亲致萧心正信]

……我做账务，因为有一个助理，大家对他恶感，怕我走了他来继任，拉住我不让我走，这账务麻烦，使人头痛，还要稍稍赔一些钱。还专管了花园，我想有一空房布置一下作为自己的书写室，把一间像双亭子间那么大小的空房打扫一下，这个房间先是卧室，后空下，为病死的人作停尸间，开工后作了材料堆积，现在材料出空了，我就搬入一张桌子，铺上旧报纸，又把工场主管坐的椅子移了过来，把书籍全放在抽屉里，水门汀打扫干净，俨然是一个写字间了。我正动手写字却被一个人瞧见了，发觉秘密似的来了两个人，一个是当作秘书的，他们一块笑着进来："呵，你躲在这里怪惬意。"就一个搬出，一个拉椅子，又把桌子翻得四脚朝天，好容易布置的书写室，不到一分钟就被拆光了，我气得很，知道他们故意这么混，要扰得我没有安宁，我要同他们打，说如果我输了，我甘心离开这儿回到工场去，就第一个把秘书老爷翻到水门汀上了，他们知道我发牛性（我的绰号被称铁牛，因为据说像条牛那么结实），也就回去了。

[父亲致萧耀庭（萧心正弟）信]

福熙路

福熙坊十一号三楼

萧耀庭先生（引注：转萧心正）

心正：

大扎敬诵一番，即有话想说，可是眼疼不耐作书，在你来时或有书相致也。

眼未好，被那乡下佬扎了二针后，仍无显效，眼白有翳，红未退。请代至南京路顺宏鹏鹄菜药房附近有北京大仁堂去购琥珀退翳丸，如有药方更好。

又请购洒尔肤一瓶，你如无暇则可电姐，但恐姐弄不清爽，不如你好。

房中现已二人，稍静，脑亦好，但眼为患，读写二不能。

巴奋近日如何？希大有海上屁精派，灰鼠其

袍，纺绸其裤，飘然自得。年过半甲，不知自检，甘与浊少追逐，虽送我饼困，应训斥可也，君亦以为然乎？

大姊如何？

均念

弟久年上

三月廿七星期五下午

来时有歌片则惠下为好

［父亲致萧心正信］

……千万叫他放心，不必为我的问题焦虑，而况我现在长得如此胖了。

父亲已将入老年的人了，连年受贫困的苦，为家庭奔走，现在又不免想到我的复元问题，也许他会回想年轻时的生活，触今思昔，未免伤感，但是你想，这有什么办法呢？千万代我安慰他。

下星期来，馒首（引注：馒头）拿一半来就够了。我大概食量已正常，已吃不多，如果简便拿一些面粉也可，上次的我省有一半。

天热了，我写得满头大汗，想你为我带东西来……

［父亲致萧心正信］

……宁静是千金难买的，现在多么静啊，风从窗（有二扇窗）中吹进来，八哥儿在屋檐和树上叫，叫得怪甜蜜的，真像在花园或农村里一样，而且还有几个小孩咿咿呀呀地在读什么书，随风飘过来（八哥儿在学小鸡和燕子的声音），小孩虔诚地送一碗开水进来，在桌旁站一会，就走了——我这一年多来只有现在是顶愉快的，静得愉快……

一次，祖父赶至杭州探狱，老人家找了一上午，总算找到了他，两人见面四目相对。父亲回忆当时场景说，你祖父一直看看我，一直叹息，他老人家开口讲的第一句话就是："倽戆哦？"（"你傻呵？"或"你傻不傻呵？"）

父亲狱中写给萧家姐弟的信件及明信片。

黎里

一

一九四四年底，经组织同意，萧心正运用我父亲
表兄蔡公弼的关系，通过杭州伪监狱长邢源堂采取"重
病保外治疗"方式（没任何政治手续），得以出狱。
但时过不久，萧心正即于苏州被捕。我父亲只能隐蔽
于赫德路居士林"觉园"沈痴云处，"度过了最凄凉
的 1944 年除夕"。之后，他在汪伪宣传部电影检查
委员会工作，不久接到通知，奉调淮南根据地情报部，
接受组织审查——也是在得信的当日，他收到了黎里
老家的来信——他的父亲，我的祖父，五天前在黎里

老宅去世了。

他即赶回黎里料理丧事，从我祖母口中得知，我祖父去杭州探监的那次，正是家里最拮据的时候，去杭州没有车费，还要住旅馆，祖父不想来，可我祖母催得急，无奈中即向富裕的大女儿（我大姑母）借五至十元路费救急，不料被她一口回绝。对此，我祖父的伤心和愤懑可想而知，最后不知从哪里弄了几块钱，来杭匆匆见我父亲一面，这一面，终究无法让老人释怀，回到黎里就卧床不起了，最后是无钱求医买药，在贫病交迫中告别了这个世界。

父亲说，当年你大姑母出嫁时，家境尚可，嫁妆丰厚，夫家也很富足，只是她自小骄横咨啬，平素只爱打扮自己，婚后常去苏州游玩。这次对我祖父的求援竟然坐视不救："她是家里最受宠爱的大女儿，却这样没有天良……"他在黎里忙完了丧事，特意上门痛骂了大姑母一顿，从那时至今的数十年里，他与这个大姐彻底断绝了来往。

[父亲致马希仁信]

> 鄙人吃官司，先严闻讯急得失魂落魄。事为苏州我姑丈所知，也非常忧虑，生怕凶多吉少。姑丈是书香之家，幼年由老太爷授《易经》，所以会算命。另外我的大姐夫是黎里镇凌甘伯长

1945 年，回沪后在静安寺路一大宅所摄。

襄阳公园，1948 年。照片后题："翘首云天，忧从中来。"

子，父子俩也都读易，而且都会八字算命甚至看风水。抗战结束我到苏州，姑丈说，你被东洋人捉去后，我同你算过一命（我的生辰八字，姑丈都知道），真是奇怪，这一年你命里正是"天克地冲"。接着他呆呆地说："玖生（我乳名），当时我排一排，你的命真不怎么样……"似乎不胜扼腕之意。俗语说："天克地冲，银丝挂钟。"危险倒是真的，然而他没有排出解放后我的灾星。"不怎么样"倒是千准万确地算中了。

祸患踵至，幽明互映，是这代人运命"不胜扼腕"的寻常……

[《我的一个世纪》／董竹君]

　　……1945年初夏有天清早，我正在凡尔登花园家里二楼卧室梳洗时，张锡祺的弟弟忽然来家告诉我，张锡祺和住在该院的楼上的党员刘之光（真名吴成风）及刘之光介绍到该院挂号处当事务员的女党员黄英三人一起被日本特务逮捕了，关禁在四川路日本宪兵队。我听了很着急。忽然想起林医生曾告诉过我：他有个日本病人是日本宪兵队长，叫金井……开始金井板着脸不言语……我们送给金井金币四十元，

白兰地酒两瓶，并请他吃饭。经过一个多月，
张锡祺等三人由林医生做担保人都搭救了出来，
据闻张锡祺等三人和台盟有关。

（父亲为此文加注）

吴成风，为吴成方，又名刘国光，1925年党员，
属社会部，已故，终年九十二岁。

张锡祺兄弟俩在今淮安路江宁路（戈登路）
口开设光华眼科医院为掩护，从事党的情报工
作，有日本方面的联系。吴成方常去见面。

黄英，解放后在北京安全部工作，1942年时
用名黄悦兰，沈静文是她丈夫，解放后在新华社
工作，已故。

如今读到父亲接赴淮南审查指令直至成行细节，
除特殊的隐蔽色彩外，颇有运命无定的漂泊感。

[父亲《申诉报告》/六十年代第N次]

A……某日于霞飞路（引注：今淮海中路）
复兴咖啡馆见张静林（党内称"张胖"[1]），通

1　原名华克之（1902~1998），1946年安排父亲在《时事新报》
工作，隐蔽战线传奇人物，1935年组织刺杀汪精卫。1955年住院期间，
因潘汉年案直接押往牢房，先后获刑21年，一度陷入极端情绪，将
筷子捅进眼窝，落下残疾。1979年平反。

知去淮南根据地"加强学习"一事。

　　B后一日，在霞飞路善钟路（引注：今常熟路）口电车站与潘秋江联系，潘告诉了下一次联系地点及暗号。

　　C……去地地斯咖啡馆，"张胖"问有何困难，答一切准备好了。

　　D……同何举接上联系，此次由何带到淮南华中情报部。

在淮南华中情报部，经过多次谈话审查，包括汇报"被捕出狱经过"，终告结束。部长潘汉年此时去了延安，由城工部长刘长胜（兼）做了审查结论："你的报告曾山同志也看了，我们认为你在被捕后的表现是好的，经过了党的考验。"

并无书面结论——应与当年环境有关，包括返沪后他与领导人刘人寿接上了联系，同样无需和平时代的组织介绍信。

[《一切已归平静》/ 原载于《生活月刊》/金宇澄]

　　……他年轻，他的活力神奇抵御了严重的疾病，恢复年轻人的体魄和风貌……日本宣布投降的那天晚上，是他和朋友庆祝胜利的狂欢之夜，一群青年人开怀痛饮，在路上漫无目的闲逛，高声谈笑，无所顾忌，陶醉中走近西区，已是子夜了，看见附近绿树丛中某幢大洋房，通体灯光雪亮，门窗大开，顿悟这是某大汉奸的宅第，于是大摇大摆推开铸铁院门，进入这所大房子，满地狼藉，宅主显然已逃匿，猫狗全无踪影，凌乱的大菜间里有几箱洋酒，众人打开箱盖，人手一瓶，巨大枝型吊灯照耀着一张张年轻人光彩夺目的面孔，于是歌唱起来，声震屋宇，一直闹到东方既白，一个个醉倒在细木地板的波斯地毯上。等下午醒来，这幢折衷主义风格的豪宅仍不见一个人影，只有花园里小鸟在鸣叫。

他不会知道，他的命运人生，将长期纠缠于"审判口供"最终数行的问答中：

……

问：你今后干什么？

答：回《先导》去。

问：今后愿为南京政府做和平文化工作么？

答：愿做和平文化工作。

一九五五年，他因涉"潘汉年案"被隔离审查。直至该年九月始审被捕变节，审理者打开他当年的全部供词，抽取最后的这几句问答，当即认定他"叛变"。

[父亲《申诉报告》／一九六二年第Ｎ次]

我第一次写了检查，反映我的抵触情绪，下一日，负责审查的俞平原同志见了我，劈头大骂我是"叛徒"。他对我说："不老老实实承认，就逮捕！"我搞过运动，估计在那种情况下确有可能，不敢理直气壮地再与他顶（已经顶过一次了），被逼写第二次检查，也孤立地就一句供词承认背叛了党。其实就这份检查中，如果细心研究，一面强调被捕后绝无叛变行为，另一面却突然承认错误，这是矛盾的，但是俞平原同志并无觉察，不几天，就把我逮捕了……

处理结论其一：也即"被捕变节"。某负责人说："我们说你是变节，你说没有失节，现在又不好向日本人调查……"

经过他数度申诉，一九五八年的"初稿结论"改为："被捕失节。"

经他一九五八年至一九六五年Ｎ次的申诉，结论略改为："被捕后表现消沉"与"极不负责。"

[《明室》（三十六节："证实"）／罗兰·巴特]

……自己不能证实自己，这是语言的不幸（但也可能是语言的乐趣）。语言的实质可能就是这种无能为力，或者，用一种肯定的方式说：语言在性质上是虚幻的。为了试着使语言变得不那么虚幻，必须有一个巨大的测量装置：求助于逻辑。或者，在没有逻辑的情况下，求助于誓言。

在漫长的申诉过程中，他已清晰地意识到——即使再如何申诉，也未必能有"实事求是"的结果，只能接受并赓续下去。

一九五五年——在我母亲描述里是"大难临头，人见不到了，待遇取消，必须搬家"之年。最为感叹的是两个月后，通知她送冬衣，"地址也就是日伪时期关你爸爸的南市车站路监狱，后又转他到建国中路公安局……"

[父亲《申诉报告》／一九六〇年四月]

　　……附带一笔，1957 年市委负责烈属工作部分的人员，向我了解程和生（真名郑文道，已牺牲）被捕的情况，据说由于他生死不明，长期没有查清，一直没有定程为烈士；老程还有老父亲在广东，没有享受烈属的待遇，虽然我的问题尚没查清，但程和生同志的表现是坚定的……

父母摄于苏州西园，1948 年 10 月。

着蓝布(阴丹士林布)旗袍,沉默,朴素,父亲初以为母亲是小学教员, 当时他住康脑脱路。这年暑假,常常在午饭后,太阳热辣辣的, 母亲雇一轮黄包车去看他。

经过二十四年的纠缠，延至一九七九年，我父亲的"政治历史问题"才获得完全的改正。

然而关于他们，关于这一段难忘的细节历史，关于中西功呢……这一截昔时光影的"积藓残碑"，复杂文献漫漶凝结，时显时隐，于当事者言，仍如海上冰山那样触目……那样无法忘怀……

[《红色谍王》／董少东]

据俄罗斯解密的苏联档案，苏联方面在佐尔格被捕五天后就获知了这个消息，但莫斯科选择了沉默。日本则紧张筹划着对美国的战争，也没有对苏联提出公开的交涉。据说，日本驻莫斯科使馆曾向苏联提出，用佐尔格交换 1939 年日苏诺门罕战役的日本俘虏，但得到的答复是："我们对理查德·佐尔格这个人毫不知情。"

[《党的文献》／一九九八年第五期]

中西功先生是中国人民的老朋友，著名的国际反法西斯主义战士，他曾是日籍中国共产主义青年团团员和中共党员。在中共江苏省委和王学文同志领导下，为中国人民的革命事业和世界反法西斯主义斗争做出过不少贡献。1942 年，他被日本特高课拘捕，判处死刑。他和日籍中共党员西里龙夫等一起，在狱中进行了英勇的斗争。

为了拖延死刑执行时间，在狱中，他历尽辛苦，写下了著名的《中国共产党史》。正当敌人要对他执行死刑时，日本政府宣布了无条件投降，他才得以出狱。出狱后，他仍然积极从事中日友好活动，写了大量有关中国共产党和新中国建设的文章。

［《吴成方谈话摘要》／一九八五年七月九日午后，上海寓所］

中西获取的重要情报并不多，主要是"满铁"的汇编。"日汪协定"公布前，中西曾送来这份材料，交程和生，他另有藏处。经沈安娜交舒日新，由舒编写后，再经龚饮冰阅定处理（包括发报）。潘、刘、我三人都在舒处看材料。中西在上海，从哪儿能取得机密文件？他对程和生说的多是分析研究，不是文件。而我们需要第一手文件，连图章都要核实的。因此关于太平洋战争的事，事先他是否能取得、交来情报，除我，舒日新他们也会知道。我做的工作也不止中西这一拖（引注：原文如此），情报来源不止他们数人，中西说，苦于不知道爆发太平洋战争的时间，他们是做了工作的，但现在说的太玄了。

第三国际同我们根本没有联系。中西等人同佐尔格案中的日本人来往，根本没有向我们汇报过，怎么把我们的情报活动和第三国际情报案拉在一起？

有些文件，当时是从另一条线弄来，关于日军番号等武装情况，有人同管文件的日本人打交道，请他吃喝，这日本人没什么文化，问请客的钱哪里来，说是写文章得来。日本人相信了他，给他看材料。后来日本人升官了，这条线的来源就断了。

［父亲"抗战时期上海情报史座谈会"发言／一九八五年七月十七日］

"佐案"暴露，中西功是其中之一，中西功同"佐案"中三个日籍情报员是同班同学或同事关系，实际上同他们没有建立工作关系，资料说明"中西功在中国或日本都没有参加佐尔格小组"、"同中西功没有关系"、"他替中共工作，捕前在满铁上海办事处工作"。中西功是由于替中共工作而受到起诉，但迟迟未判，直到一九四五年九月美军已经占领日本之时，才移解法院判处无期徒刑。过了十二天，根据新颁布的释放政治犯命令即获释放（参看《佐尔格案件》／［美］狄金及斯多利／二八八页）。中西功等日本人在被捕前为我们党做了不少工作是事实，但是怎样看待他们的被捕表现：招了口供，供出上海、南京我情报部门地下党员（代表上级的联系人）地址，造成了事实上的破坏。这究竟是什么性质，如果在审干中，该如何做结论，不是很清楚吗？对于出卖叛变的人，不能扬善隐恶。如果不分是非，就谈不上立准立好史料。同样的理由；对中西等的"回忆录"一类东西，也应联系被捕的表现，必须用清醒的态度对待之，许多老同志在，我就不多说了。

关于转移不转移的问题，已经是历史了，我在被捕后也产生过埋怨领导的情绪，但是事隔四十年，只宜从积极方面总结教训，不该追究个人责任，在地下环境下，其他各条战线也发生过不同程度的失误，其原因往往是多方面的……

[《吴成方谈话》／一九八五年七月十九日上午，于文艺会堂]

我们这一拖情报系统的干部，过去规定是不向上汇报的，很可能没有资料。

（一）季纲（李德生），张明先，陈一峰，汪锦元，方志达。

李复石（交通），下面在锦江饭店、锦江茶室有董竹君和刘伯吾。

中西功，西里龙夫，尾崎（中西发展），郑文道，钱明（郑文道侄女）。郑文道联系中西等日本同志，还有一洪帮头目，山东人。

（二）季明（步飞、崇威）。

季下面有一拖华侨关系。（有些非华侨也归他，季曾去新加坡。）

吴天爱人钱莉兰，王石安，林思远（昆山县长），潘子康（联系作家李小峰），何福基，倪青，林平，林之爱人史罗莎（原在社联），王宣化（见过李士群），关露（关系在夏衍处，但在情报系统工作，见过李士群搞策反）。

（三）刘钊，刘少文安排管文件。

（四）缪常青（国生）。以下倪之璜（又名倪子朴），刘述梅（美国留学生，后派崇明打游击受伤，病故于上海医院）。

搞武装有梅先迪，朱松寿（均为江阴人，帮会头目，老同志，初搞"武抗"后搞"江抗"）。

恽逸群（搞情报，关系在外面，缪常青常为恽代笔写社论）。

梁曼谷（派去苏州），吕秉生（西药业，是刘述梅介绍）。

金若望，萧心正。尤迁（交通）。

王绍鳌。

交通陈来生（姓甄），王月英。

陈关通（陈来生亲戚，下面有数十人）。路新根（邮差）。

上海警备区密件打字员两女同志。（这部分

属军统陈一鸣，内容是针对逮捕共产党上报密件。陈后来起义。）

周明（女），派去打入托派（后调入苏北社会部，一直没联系，解放后为她做了证明，恢复党籍）。王高。

（引注：五至十三略）

（十四）台湾张锡君，张锡奇，谢乃光，李伟光。

关于太平洋战争爆发事，当时并没有拿到确实情报，仅是我同张锡君的分析，按战争规律，一般是在星期日发动多，一日、八日、十五日都在星期天，张锡君同K做假情报，就报了八日要爆发。K不相信，事后验证了，查问从何而来，张就造谣说，其兄的老婆是日本皇族。

张为我们搞来台湾方面许多军事活动、番号的情报。解放后判二十年，现已平反。

……

二

牵扯这一些新缣旧素，或者零缣断素，是否都与故乡黎里有关？

记得那天，我们和父亲静静看了古镇，对岸是"柳亚子故居"，其中部分建筑曾于一九六○年辟为了孵化厂，原属周家老宅，祖上周元理，乾隆年间的直隶总督、工部尚书，后代做过蓝顶子道台等等，最后败落了，顶给了柳家两进，军阀时期柳氏"复壁藏身"就在此宅（我祖母的堂兄蔡寅，是柳亚子的二姑夫，柳亚子曾对我父亲说，你我是同辈表亲）。童年时，我父亲每进周家，可看到内庭金龙环绕的乾隆所赐九个"福"字匾额，名"赐福堂"。这座罕见的江南七进大宅，门口竖有八根旗杆，内中包括"四面亭"、"五亩园"，有班房、家庵——我祖母迁来上海之前，一直给庵里的吕纯阳进香，近旁另辟一小庵，供有狐仙，那是一个白衣少年塑像，现都消失了。

[父亲笔记]

　　幼年患痢，家慈即去吕祖庵求签，签诀以木版字印于杏黄纸上，长约五寸，宽一寸，系七绝一首以占凶吉，若求仙方，则写五味药，病家自外店赎服，余竟以得治。

拜狐仙一事，缘出周家隔壁王家（同为大宅）曾经"天火烧"，民间都认为大火由狐狸引入，必认真供奉。父亲说，金家早年也因失火迁来了黎里，当年很多大宅遭火灾，然而家家筑有"风火墙"，一般不可能自燃——"应该是佃户放的火。"

黎里镇有不少深邃的官气大宅，格局规模远比朱家角、周庄、西塘要气派得多，数座明代石桥，有所谓"黎里十景"，但因为紧邻沪青平公路，自1950年代起就陆续消失，逐渐扒除沿河民居、传统廊棚（我们去的这年又在恢复），建造水泥房子。及至一九八〇年初，镇办的各类经营项目一如雨后春笋，其时古建筑专家阮仪三先生曾自荐家门，游说古镇保护，结果是被镇领导粗暴赶走——阮先生也因此顿悟，去到交通不便的地方，最终发现了冷僻的周庄与平遥古城。

［CCTV《面对面》／阮仪三（下简称阮），王志］

......

阮：我跑到那个镇（黎里）上跟他讲，帮他搞规划，帮他做设计，我把我们省委给我开的大介绍信给他看，他马上就回头（引注：回绝），我们这儿不要规划，我们这儿建设得很好，不要你们知识分子跑这儿来多管闲事。

......

阮：你们知识分子脱离实际的，我们这里不欢迎你们来实习，我们忙得要死，你们不要来干扰，请你们赶快走。我们还想抢辩几句，他就双手把我推出门去，就动手啊。把我踉踉跄跄推出去，推出去还不算，我们走出门了，他赶到后面，还在院子里大吼一声，这两个上海人啊，食堂里不要留饭给他们啊，不要卖饭票给他们。意思就是说，你们赶快滚蛋，因为在八十年代的时候，不在食堂吃饭，没地方吃的。

……

阮：看到那么许多好东西，就在那个时候毁掉，我心里疼得不得了。看着明代的石桥就这么被拆，看到那些明代的建筑、清代的非常精致的建筑就这么被拆，非常非常地痛心。

……

阮：后来我就改变策略了。不能找交通沿线的城镇，因为交通沿线的城镇，它汽车交通很方便，我想就是要找一些根本还没有发展的，这一种所谓发展生产的意识还比较淡漠、还不太清楚的，后来人家告诉我，有一个画家告诉我周庄，周庄那个地方，没有人知道，很偏僻。

……

直至一九五〇年，我祖母一直希望我的父母能在金家老宅结婚，甚至为他们准备了婚房。我父亲一九四八年在苏州买的一些旧家具，初期也置放于老宅二层前楼。一九五〇年，我父母在上海结婚，一年后，我祖母迁来了上海——她只能同老宅告别，带着自己当年的嫁妆，大小清代碗盏、做工精良的旧式米桶、大小脚盆、装糕饼点心的一对古锡樽、一座光滑小石臼（黎里人制"虾圆"的石器，已传三代），总之，能带的她都带着，带到了我父母住地的虹口溧阳路，然后随全家搬入卢湾的长乐路。之后，也即我父亲运交华盖、正式被逮捕、取消所有待遇的一九五五年，祖母又随着我母亲和三个孩子搬到附近的陕西南路六十三弄，住进我外公解放前购置的一幢三层洋楼。在我的童年时代，这个地段尚无热闹的地铁站，静谧无人，时会见一个推着磨刀剪小车的落魄白俄远远过来，腰杆笔直，旧西装纤尘不染，清晨常听淮海路上有轨电车经过，嗡嗡作响，再就是我牢固记忆里铜铃低音，一直由远及近，由近及远，意味着附近有母马经过，中国人或白俄，牵一匹白马或灰马，慢慢慢慢走过附近街道，马脖子挂一小铜铃，听到了铃声，居民端搪瓷碗或茶缸出门……不久的不久，这层宁谧也就被冲破了，我外公的产业因为"公私合营"，全家也迁来这幢三开间三层的洋房居住，楼上楼下人口众多，在这样的环境里，只记得我祖母很少说话，经常微笑，上海吃定息的资本家与反革命破落地主家庭的生活，就这样拼合在一起，其中生发的对于经验和历

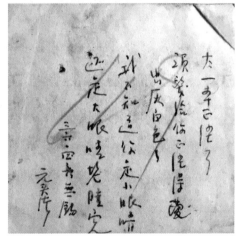

左　太湖岸边，1948 年。

右　苏州，1948 年。下为母亲字：“太一本正经了，头发给你正经得变出灰白色了。我不知道你是小眼睛还是大眼睛想睡觉。三六－四口　无锡　元（鼋）头渚”。

上　合影，1948 年。

下　结婚照，1950 年。

史的交错，应是我祖母最深刻的感受了。至一九五九年，我父母调至湖州水泥厂下放（太湖小梅口，择地质队之岩芯储藏室为宿舍，父亲戏称"顽石堂"），我祖母仍像面临黎里老宅数度突变的姿态一样，继续操持这相对陌生复杂的家，她只是经常慈祥地看着我，对我非常宠爱，我每天都把不喜欢吃的菜梗拨到她的碗里，听她早晚念佛。她完全不知晓我父母的事，只是朝夕面对老式百叶窗，蠕动嘴唇，保佑他们无病无灾，专心缝制她的冥衣、绣花寿鞋，让我如今还能清晰见到鞋底那几片七彩祥云和两朵并蒂莲花。在上海食品供应最艰难的时光里，我祖母一直忆及黎里镇她新婚期的模样——那时镇外到处桑田，到处鱼虾，即便街面上最潦倒的乞丐，也是穿丝绵袄裤，盖丝绵被子，不吃死鱼死虾……自十七岁起，她即戒除荤腥，灶前从不试咸淡，却可以做出最美味的红烧鱼，她一直啰嗦黎里镇琐事，从不改换初心，这一幅鱼米之乡的丰足图画，在漫长的困难时世，那是极其的虚无，也是一种坚定扎实的慰藉或困扰。

[**父亲笔记**]

黎里风景：

春——塘里鱼竹笋，麦芽塌饼（采紫苋头），水银鱼，野菜马兰头拌豆腐干丁子，莼菜（叫卖）。

夏——香瓜,芦黍,白糖梅子,家家做黄豆酱、梅酱、串条鱼汤,吃鳗鲤菜、鲜毛腐乳、生笃面筋,西瓜皮吃法妙不可言,菱(叫卖:野菱、戳嘴菱、圆角菱、和尚菱)。

秋——蚕蛹吃法,月饼和百果糕,扁豆糕,豌豆糕,赤豆糕,风干荸荠,白糖拌风菱。

冬——热乌菱,盐金豆,米饽,家家炒米粉,做风鱼、酱肉、酱蹄,做过年团子(葱油萝卜丝馅,南瓜猪油豆沙馅,野菜馅)。

记得那时我养了一只兔子,最后走遍附近南昌路、巨鹿路、襄阳路小菜场,竟找不到一张菜皮,最终让它死去。祖母摸着细瘦的兔子说:"侬阿晓得?伊(小兔子)去月里咪,侬阿相信?八月十五侬望一望咪?"一九六三年,她在附近的淮海医院平静去世,临终前,她对我父亲说了心底愿望,想吃一根油条。待父亲急急买回,她已经走了。

于今我唯一遗憾的,是无法细问我祖母和父亲,关于我祖父入葬的现场。"大跃进"时期,附近陕西南路长乐邨(即"凡尔登花园")长长的围墙,几天内画满"大炼钢铁"、"赶超英国"、"一天等于二十年"壁画,鲜艳色彩之下,梧桐掩映的幽静街区全然变了,也是在这一年，我父亲收到了黎里镇的通知，为"向龙王要粮食"，祖父墓地将迁作公用。就此父亲赶回到镇上，买了数个火油箱子，请人剪开拼接成一大张铁皮，放上我祖父的遗体化成骨灰，带回了上海。我记得父亲对母亲说，待火焰升起，他就跪下给祖父磕头……祖父睡在大铁皮上，身穿灰布长衫，完全原来相貌……但是在一九七二年，我三姑母从黎里来，手拎湿漉漉两个蒲包，内有一只免"肉票"的蹄髈、两条活鳜鱼、鲜艳水红菱——早年她因情感问题吞过几盒白磷火柴头，之后常常独坐抽烟，喃喃自语，她和我的祖母一样，非常宠爱我，为我盛饭，为我仔细整理返回东北嫩江的旅行袋。记得某日她抽着烟，在烟雾缭绕中忽而悄悄说到了当年黎里的掘坟现场，灵椁已经全朽，像盖拢一床咖啡色丝绵被，阿爹（爸爸）相貌如生，戴一顶制帽，一身青灰颜色哔叽制服，尖头高帮皮鞋，武装皮带。数天后，她对祖父的衣装记忆变为铜盆帽、薄呢短裤、羊毛长袜，身侧摆一支网球拍子……我一直疑惑这种说法，但那时我养了多年的小松鼠每一回失踪，全家只有她清楚，"小家伙"是躲在菜橱下面，还是藏于每天收起的帆布床夹缝褶皱里，这个小动物是一九六七年我"步行串联"在杭州虎跑的短松林里抓到的，牙齿尖利，经常咬坏铁丝笼子，有次咬坏了三姑母的呢大衣，让她十分气恼和痛惜。

一九六三年，祖母去世，遗体于斜桥殡仪馆火化，我记得父亲当时告诉母亲，选购骨灰盒时遇到了巧事，恰逢市里援建蒙古人民共和国一座建筑物，殡仪馆进到了少量孔雀绿大理石零料，这种石材在当年十分珍贵，说只有国际饭店大厅里才看得见几块，他为我祖父母订了一对这种石材的盒子。

在印象里，父亲一直与时代同步，但是每至新年，会憬然忆起黎里旧俗，提到遥远的"麦芽塌饼"，包括除夕"祭祖"、"小辈为长辈磕头"，常憾叹祖父去世"家祭从简"……这几乎是深入他血液的某种印痕。数年前，他在我写此文的记录里圈去了"我祖父金九龄"并加字："后辈子孙，不能直呼长辈之名，你不懂，不许提名。"一九九一年底，我外祖母在家中去世，父亲时年已七十二岁，我见他仍然恭敬地缓缓跪下身来，为老人家磕头。

[我的日记／二〇一五年五月二十五日]

祖父的骨灰，当年暂存上海胶州路万国殡仪馆，一老者接待，见"金九龄"三字，脸色一震，上下细察打量，忽然客气而周致，欲言又止——我父亲即意识到，对方一定误认逝者是上海青帮"通字辈"大佬（旧上海闻人。法租界巡捕房探

上　上海，1950 年。

下　上海，1951 年。

上　父亲和同事们在外滩，他和蔼坦荡，大家都喜欢和他交往。

中 | 下　午休时的黄浦江，他们无忧无虑，不在乎收入多少，对前景充满梦想和希望，微笑发自内心，这是他们最快乐的时光。

上　上海，1950 年。

下　上海，1951 年。

上　父亲和同事们在外滩，他和蔼坦荡，大家都喜欢和他交往。

中 | 下　午休时的黄浦江，他们无忧无虑，不在乎收入多少，对前景充满梦想和希望，微笑发自内心，这是他们最快乐的时光。

长，1949 年前后去台湾）——此人与我祖父同名同姓——这段回忆，是今早家兄说起的，因而上文"不准写祖父名字"一事，是否有更复杂的意味……

三

对于逝者，常挂我父亲嘴边的是他的假胞兄程和生，另一位是小学同学沈玄溟，少年时代的亲密玩伴，两人喜欢去看镇上佛像店、裱画店。沈家房子比金家新，三进三开间带厢房，天井有一棵老山茶树，高至二楼，遮得冬夏不透阳光，因此方砖地长年生满青苔，气氛相当阴暗。最特别的是，沈家大白天都在楼上走动，厅里不挂字画，不见人影。夏天我父亲和玄溟走到沈家天井里玩，玄溟朝上喊"姆妈，热煞唻"。楼上"咿呀"一声，帘子里露出一张明媚端润面孔，吊下一小竹篮，篮中两杯冷开水，他和玄溟"咕咚咕咚"喝尽，篮子收上去。这是玄溟的母亲，婚前在上海某知名百货店做事，属"五四"前上海最时髦的职业女子，平湖人，天足，一次与玄溟父亲沈剑霜邂逅，展开了上海的新式自由恋爱，双双回镇结婚，生下独子玄溟。

沈剑霜是我祖父的朋友，镇上洋派人物之一，早年和我的祖父一样穿西装，但会拉小提琴，也工书法，精"瘦金体",娴商科。我父亲叫他"剑霜叔",多次看着"剑霜叔"运刀如飞,石头直接捏着,只一会刻就了印章。

婚后的沈剑霜,仍在上海教书。三进大房子,只有玄溟和母亲、外婆在一起生活,因为都不是本镇人,少有亲友来往。暑天正午,在古镇的蝉鸣中,父亲听到断断续续的风琴声:《霓裳羽衣曲》、《因为你》、《落花流水》……那是玄溟母亲的琴声,之后有一年,玄溟母亲就将楼下厢房租给一个青年医生做了西式诊所,使这座阴沉沉的大宅子添了些许生气。

历史上的黎里镇,从来不缺著名中医,只西医少见,且沈家不远就是镇公所、警所,一旦四周乡民打架、械斗,头破血流来镇上理论、验伤,都会进入沈家就诊。玄溟的母亲时约三十多岁,青年西医眉清目秀,才二十出头,吴姓,个子不高,态度极为和蔼。

然而这西医诊所只开了半年多,沈剑霜忽然就在上海辞了职,匆匆回到镇里生活。我父亲每次遇见了"剑霜叔",印象里都是面容凝重,沉默寡言,独自在镇里走动——据说,沈已发觉了妻与青年医生的不贞之事。镇里几家茶馆,自然也早就传开了沈家的桃色细节。从此,沈剑霜常在街上独步,郁郁寡欢,对熟人不讲一句话。之后,据说沈结识了本镇一个三十多岁的"老小姐",对方能诗善画,态度顺和,让沈

Жерарлмович

镇压维摩维支像

我不会画.
即便我会画了他
谁绘不像，也没什么关系，
因为他那慢慢充的思索的眼
已变令生地
透过了我心
脑腔的.
在那见
良藏着一股

杀 戌追却
与甲第二1家1四合
左石龙头
加中大厦教
发起 接死
小手持乱
失明事
特权 千何内途径 决定4里即?
第三军队的反攻忘果
扎牛谋教
△若进中违 去考念

△继续深进 遇大火
2阳底死亡
苹死古
插击 手里
苦切若飞
2又击
1洋1年
月东和
培力强 果系版
计划川 设备 占领 计画川实国
台位 △第三军反剑
△七成搜索
△深青士兵

维德的剧本草稿，1944年。

剑霜下决心准备离婚，之后就娶她——没有想到的是，玄溟母亲极为厉害，一方面坦承了自己与吴医生有染，却绝不应允丈夫离婚，两人经常为离婚之事大吵大闹到深夜，引发了玄溟外婆过世。这样的僵局维持了半年多，直至有一天下午，玄溟的父亲沈剑霜，静静走下楼梯，走进厢房，打开吴医生的药物玻璃橱，吞了一小瓶的生汞。沈剑霜自杀了。

镇上某测字先生说，沈大少爷名字里就有难，图章刻得好，刀运得好，但字里有刀，配雨字头，也即凶险加眼泪，两样摆一道，苦咪。当时我父亲十二岁，沈家出了如此大事，每见玄溟的悲切之色，苦于难以安慰。我祖父和沈剑霜虽是朋友，也表示了沉默，只能是在自家饭桌上多次大骂"人心太坏"！

我父亲与玄溟的同学之谊，由亲切化为沉重，即便表面不言，有时也去父丧后的沈家探望，次数却逐渐少了。玄溟母亲仪态如常，之后就直称青年医生名姓，亲昵如家人。吴医生玉树临风，眉宇间同样是十二分的自然。沈家在镇里开有一家腌货行，原先一直由玄溟母亲打理，之后逐渐由吴医生经营，男女两人也公然于镇里镇外双双走动，不避他人耳目。再以后，我父亲小学毕业去苏州读书，玄溟去到吴江读县中，两人互不通信。一次我父亲回镇发现，玄溟经常不上课，已学会了抽烟，会打麻将，之后就听说，玄溟辍学回家了——是遵照玄溟母亲的意见，尽早做了沈家的"一家之主"。至我父亲读高中时，玄溟已经结婚，女方是镇西一典型的乡镇小姐，我父亲以前见过她立在自家门口的样子……直到抗战爆发，其时赴苏、浙、沪读书的学生基本都返回了本镇，参加抗敌后援的种种宣传活动，多次聚会的人群中，已没有玄溟的身影。据说，他一直宅于家中，享受所谓"新婚的幸福"，且结交了一批好赌的朋友……再以后，玄溟吸了鸦片。

阴暗的沈宅一直孕育着事态的恶化，其实在本阶段，这个青年吴医生已完全控制了沈府的财务，成了一个隐秘的富商。玄溟母亲虽终日对镜梳妆，实亦难掩年华的老去，也已然是一位"阿婆"了——她平生做出最为愚蠢的决定，是把一华年玉貌的儿媳娶回了家，儿子玄溟好赌成性，整日举一枝"甘蔗枪"，卧于烟榻吞云吐雾，只知道从吴医生手中取用赌资与烟钱……

[《夷氛闻记》／梁廷枏]

……烟枪多用竹，亦有削木为之，枪头镶以金银铜锡，枪口饰以金玉角牙。闽粤又有一种甘蔗枪，漆而饰之，尤为若辈所重。

（父亲为此文加注）

此枪利其轻，又能"清火"云云，江南乡镇
流传已久。

　　就这样，这位沈家大宅里的青年吴医生，逐渐逐
渐也就做了玄溟妻子的入幕之宾……这事终被玄溟母
亲发觉，两个女人为此破口大骂，声闻户外，继续成
为了几家茶馆的火热话题。

　　某年夏天，黎里镇大小茶馆再爆消息——青年吴
医生与玄溟的年轻妻子席卷了沈家所有金银首饰、钱
庄存款私奔了，肯定在黎明时分坐了小船出走的，却
不知这对男女最终去向了何方。当时黎里镇及四乡环
境相当复杂，原属汪伪和平军的地盘，又被国民党游
击队控制，基本失去了起诉与传讯的方式。玄溟的母
亲失魂落魄，跑去镇上多家钱庄询问，庄上先生都回
答说："三四日前，是吴医生提现了。"沈家腌货行
的老账房应声道："回沈少奶奶，店面早就盘把镇东
陈老太爷了，倷一滴滴呀弗晓得唻？！"玄溟母亲惊、
急、气、羞，数月后，就在沈宅阴暗老茶树的阴影里
中风去世。

　　父亲说，黎里镇不少大户人家的后代，都经历了
种种家道突变，在赌、烟之中，弄到死无葬身之地。
他的小同学玄溟，早在婆媳相骂期间搬离了沈宅，待

等吴医生裹挟他的娇妻卷逃、母亲亡故，只遗留了吴医生来不及卖掉的沈宅，这幢三开间三进大房子，战前值好几百石大米，一百石米时折一根"大条子"，沦陷后镇上房价大跌，也因玄溟的懦弱无能，最后只能在掮客的七骗八哄包围之中，三折卖出，款子付掉玄溟所欠烟赌高利贷和母亲丧葬费，余钱在一年多后也就用空了。

一九四五年初，父亲回镇料理祖父的丧事，据某同学称，玄溟最后已经食宿无着，流落街头，幸亏腌货行一老师傅动了怜悯，把这位昔日的少东家接入仓库，在堆置腌货的地坪旁铺了稻草，容他遮风避雨，暂进两顿粥饭，但毫无办法满足其鸦片烟瘾，最后的玄溟，是瘾发哀号而亡的，死时才二十五岁。

[**父亲笔记**]

这故事是我在七十九岁时写的，它同我的读书笔记混在一起，束之高阁，这一搁，竟过了十三年，如今我已经九十二岁了，再回顾这件旧事，故事讲完了吗？讲完了，又似乎没有，最近偶然乱翻书发现的旧闻，在一本小册子上赫然印着一段记录：抗战期间，黎里镇一位年轻的西医曾派人通风报信，使中共地下吴嘉工委书记及时转移脱险，传为佳话。令人惊讶的是，做这件好事的，便是这个吴医生。

呜呼玄溟，童年情深。
既长回乡，草木无声。
路人叹息，谁为招魂。
泪滴桥下，褉水[1]盈盈。

九十二岁翁记。2011 年 10 月 2 日

这件事父亲讲了多遍，写了多遍，此节是据他的笔记改写，完成时凌晨三点，我意外发现，父亲笔记里滑出一字迹潦草的纸片——也即上述最终的附白。他似乎知道，此刻唯有这突如其来的结尾，才符合本文的互照样式，符合这悲情故事难觅的某一延伸线头……

关于黎里的记忆和前辈们的过去，应该都消失了。

我还记得上世纪七十年代跳下长途车，走上太浦河大桥，附近的桑田和稻田，满眼绿色，走进黎里老街，镇河是亮的，高低错落的屋脊还余存青灰的古意；一九八〇年再来黎里，我三姑母说，金家老房子，就

剩一张露弹簧的蓝丝绒破沙发了——"上海人，现在家家自做沙发，弹簧难买，侬阿要旧弹簧？"

在"文革"最混乱的一九六七年，我十五岁，问过当时四十八岁的父亲——当年他为什么不做工，不做码头工人，不到炼钢厂做学徒，或者拉黄包车？如果这样，我家肯定不会多次被抄，就是安稳的"无产阶级"、"工人阶级"成分了……记得那是一个早晨，他穿着带有补丁的中山装，戴了袖套，正准备出门赶去某校——他已在那地方扫厕所半年。他定然看看我，长久沉默后说："我读的书还是少，爸爸的局限性……"

[父亲笔记]

38/39年间，同乡朋友张流芳（时任上海苏州中学教员）给我两本书，列昂捷也夫《政治经济学基础教程》及《〈资本论〉入门》，日本某经济学家所著。我很珍惜，埋头苦读，钻在一些名词里。记住工人每日做几双皮鞋的例子来解释劳动和价值，脑子里一个声音，这是共产党必读的书。

待到来上海，读书甚多，租界的书店公开发售介绍苏联的书，毛泽东《论持久战》、张闻天《论待人接物问题》都能买到，但德国侵苏后，我被战争和时事吸引，《资本论》陈列在书架上，引人注目，未敢问津。

解放后，机关每周半天布置学习，几乎所有人对《联共（布）党史简明教程》崇拜得无以复加……55年因"潘案"接受隔离审查阶段，自学"马恩"，59年下放湖州，买了《反杜林论》（吴亮平在延安的最早译本）。读到马克思对狄慈根《人脑活动的本质》中，关于唯物辩证法观点的称赞。这位德国制革匠盛赞《资本论》是用"最通俗的语言阐明最深刻道理的经济学巨著"，使我惊讶不止。60年代中苏论战，买了《布加勒斯特国际会议文件汇编》、《第一国际和第二国际简史》、《马恩通信选集》、《给美国工人的信》、《马恩论机会主义》。

从1968年开始，扫地和清厕成为我的专业，直到林彪事件后被允许参加科室学习，当时大家都学列宁《唯物主义与经验批判主义》和《国家与革命》、恩格斯《反杜林论》、马克思《哥达纲领批判》，等等，这些书摊在干部们面前，没人读得下去，承他们的情，一位山东干部叫我朗读，我总算每一次没有读破句，顺顺当当，一口气读下去，仿佛是我老早就读过的熟书。

71年之后，劳动任务减轻了，负责三幢五层教学、宿舍楼的清洁工作，清洗十五间厕所，每天大约做五小时，余下时间就是读书。学校共有两个批判对象，另一人是《老残游记》作者刘鹗的长孙刘厚泽。他认识我，我不认识他。

我辗转湖州回沪，分配到建工局技校教语文，当时刘在校务科任职。我47岁，他长我3岁，属于学校老朽。某夜我批改作文，刘悄然进来，坐在我对面，看了看左右两堆作文本子说："你让两座须眉山压扁了。"我不作声。他微笑说："你的大报告做得极好，受益匪浅。"顿感全身被电击，我原以为由湖州调此，无人得知。"大报告"三字，我立即猜出"三反"期间，在上海提篮桥监狱劳改处负责"打虎"？还是53年调水上区搞"民改""普选"做一系列学习报告？有点发窘说："呵呵，过去你在哪工作？我们大概见过……"他答："内河航运局。"我说："那该认识的，呵呵，我后来犯了错误……"我如此回答，既不能叫冤，也不能讲被某个大案牵连，当时都不允许。他倒是通情达理，安慰我说："你来第一天，我就注意了，但从不跟别人讲，没人知道我认识你。"

刘此后常来办公室串门，知道我喜欢昆曲，从赵景深处要来《红色娘子军》的昆曲谱，他同赵很熟。"文革"开始后，我和他同关一个牛棚，才知抗战时期，他在天津任华北伪政府新民会某职，去过日本，解放后参加"民盟"，却没交代这段历史。我们一起扫地，一起抽八分一盒"劳动"牌烟。他常吃学生剩下的饭菜，我不肯这样。

71年我"定性"（戴"敌我矛盾作人民内部矛盾"帽子）不久，刘突患急性菌痢，专案组不准他去大医院看治，只许在"红医班"马马虎虎开点药，二三天后刘已没有气力，我催他去找"军宣队"，某日总算批了假。我劝他打电话请儿子来接，他摇头说不必了，其实是担心儿子来"牛棚"有心理的困窘。我看他摇摇摆摆出门，当天不治身亡。

记得专案组负责管制他的某工人速成大学培训的党员教师事后辩解，谁不教他早些去看病？是他自己不肯去！

刘去世后，我彻底孤立，人人避之不及，学校撤销"牛棚"，安排清洁工滕师傅与我搭档，从此一切唯滕马首是瞻，滕幼年据说无业流浪，做大饼、擦皮鞋、"拿开销"（拜过流氓头子，每节到南京路大店乞讨），吃过不少苦，相当机灵。休息时他抽烟，我看书，很少交谈，他一直对我保持高度警惕，我也一样。但日子长了，从他的眼光里看出对我的一点同情，我一直在读书、笔记（甚至抄书），不像是坏人。房里有滕的午睡床位，他骑脚踏车下班后，四周是我的世界（别人万万不肯进来），凌乱不堪，都与我一身旧衣破帽，扫帚拖把畚箕等物和谐。某夜，一位新调来的书记暂住附近，大概对我独零零关在屋内发生了兴趣，敲门借火抽烟。他走进一刻，好奇地看我在抄周一良的《世界史》，百闻不如一见，他的疑问得到了解答。

在这样的条件下，细读列宁、恩格斯两书，读史，比较范文澜《中国通史》，欧洲工业革命和启蒙运动与我国同期相比较，两者"国情"相差之大，震动心扉。

直到1976年5月，我才鼓起勇气去书店，购得《资本论》第一卷上下两册（76年1月上海第一次印刷），人民币1.80元，真是便宜。

2001年1月14日

[父亲笔记]

建国前一年，我在现锦江饭店旁边的苏商时代书店，购得一册苏联外国文书籍出版局《联共（布）党史简明教程》，视为珍本，建国后我又有了《列宁主义问题》，这是姚云（引注：我母亲）同学送我的结婚礼物，读这两书，我自以为知道了俄国情况的尖锐和复杂，但"季、托联盟"是怎么回事，不明底细，也不敢发问。四十年后，

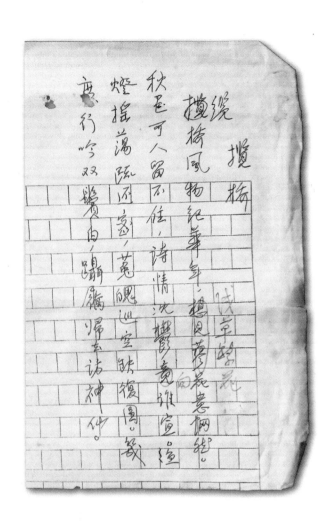

父诗《揽桥》，2009 年。

"缆桥风物纪华年，浅草繁花意惘然。秋色可人留不住，诗情沉郁向谁宣。渔灯摇荡疏还密，兔魄巡空缺复圆。几度行吟双鬓白，蹀屧归去访神仙。"

陕西南路，1962 年。

红得发紫的这两书销声匿迹了。[1]如今暮年默想，方知读书的难处，人生短暂，读不完那么多书，何况，书未必有真理。

初夏的风，吹进了我的窗子，竹帘洒下淡淡的阳光，我搁笔沉默。问书书不语，自问又不能自答。我去问谁呢？是为记。

2010 年 7 月 4 日

我母亲说：你爸爸从不讲自己的痛苦，总是讲别人的事，说一切已经过去了，不能再讲了，很多人都死了……确实如此，在我记忆里确实如此，只提别人的苦痛，他多次说到与顾高地先生重逢的沉郁心情，顾是蔡廷锴秘书，参加淞沪抗战，协助潘汉年脱险的老军人，一九五五年涉"潘汉年案"入狱判二十年，一九七七年从青海释放归来，方知家徒四壁，妻秦慎仪、女顾圣婴、子顾握奇早于十年前自杀……八十年代某个夏日，父亲在火车上遇见一个有明显刀疤的人，一道极醒目的斑驳疤痕由耳后一直延伸到颈背，攀谈后知晓，眼前这

1　苏联解体后，2004 年 7 月，俄罗斯教育部再版发行《联共（布）党史简明教程》，于俄新学年 9 月开学前印装完毕，作为高校师生历史教学参考书，发到各校图书馆。此次印刷完全采用 1945 年版本和装帧，封面特别注明"《简明教程》第 302 次印刷"。仿佛也是"时事无常"的一个加注。

老者即"南京大屠杀"幸存者——当年遭日寇追劈，刃及肌里，扑地昏厥，翌日从尸堆里爬出活命……我母亲说，只在某一封没写完的信里，"才见到你爸爸充满情感的回顾：'天寒刮起西北风，让我想起满目萧条的，我的青春年月……'"

[父亲致马希仁信]

……每年看见广玉兰满树生花，怀旧之情油然而生。同它结缘的朋友都先后凋谢了。这种树高大壮苗，绿得乌油油的肥大叶子，撒下一片清凉树阴。记得每当花开的日子，我从学校后门回家，老远看见陈家后门那枝大树的花朵，通体洁白，我不知道为什么总仰望着，像有无形的绳子把我牵着走路，一张无形的蛛网把我这个小青虫黏住了，不明白为什么喜欢上它，也许爱它们高高在上，另有一种超尘脱俗风姿。我从小有一点清高孤僻——如今大树依然耸立在那里，只是童年早已消逝无踪。上海也有一株玉兰树，同我青年生活发生联系，在海格路（引注：今华山路）一座大宅里，我在那儿寄居数月，45年5月正当玉兰盛开，接到通知要到淮南根据地去，我提着一个柳条箱（是家父旧物），告别了这株大树。花开得真白，隐藏在树冠的绿丛中。

黎里祖屋天井，2002 年。

马希仁致父亲的明信片，1980 年代。

那些年头说走就走，虽然母亲在镇上生活也难，顾不了许多。每当玉兰花开，青春的影子，一起起旧事重新浮现在眼前。一株是童年的，一株是青年的……今路过常德路，在车上凝望路口有三层楼高的玉兰，想起以上这些萍踪絮影，聊记数语。

本文多处所引"致马希仁信"——这些昏灯下的笔墨，是1990年代他与马恢复联系后所书，频通鱼雁，隔日来回，直至马谢世，家属将这堆喋喋了数年、文从句顺的字纸奉还。当年他们虽一直引以为同道，但当年他们一直信守规则——互不讲自家细节。

[父亲笔记]

　　……翻出半页没有写完的信，看了两遍，此公去世已三个月了，再没有闲人能与我那样轻松地通信。他的一束信，我曾经重读几封，至今没再动过。他儿子退回我的信，也没有翻阅，它们都默然无言躺在抽屉中，真是物在人亡，仰天兴叹……

时光的桨声灯影，船过无痕，应该都消失了。

最后这次故乡之行，父亲几乎没说什么话。

临近黄昏，我们离开了黎里镇，老街整日散发着历史的寂寞，横跨镇中心一座改建的水泥"浒泾桥"，车水马龙，连接镇的新老两端，数十年"摊大饼"，镇北密集的居住区已然一种店商林立、缺失地域特征、极尽喧闹的普遍景象……

车子从黎里驶向金泽，沿路一侧的绿树中，或谷歌卫星地图上，都可看到一条极为宽阔的大河——太浦河，由太湖流向黄浦江，甚至比黄浦江更宽，却很少有人提到。有一年，正也是飞速行驶在这条美丽大河边，阳光耀眼，空气清新，偶然见到柳岸旁隐约泊靠了一座大船，两个雾鬓云鬟女子端坐路侧，脚旁竖一牌子"停车吃饭"……前行许久后，我提到了此事，众人怨我怎不早讲，立刻调转车头去找，却怎么也找不到了。记得当时车中，反复回荡着鲍勃·迪伦的歌：

　　　　……

　　一个人要抬多少次头才看清天空？

　　一个人要长多少耳朵才听见人们哭泣？

　　要死多少人才会知道太多人已死去？

　　我的朋友，答案在随风飘荡。

　　答案在随风飘荡。

在掠过的无数柳枝芦苇间，只见密西西比河那么宽阔温和的水面时时闪耀着细碎亮光……

[附：地理资料]

　　黎里距上海九十公里、苏州四十五公里，江浙交界，水陆便捷，唐为村落，南宋成为集市，明弘治年定为江南大镇。

[附：我的日记／二〇一三年六月二十九日]

　　今早三点二十六分，父亲去世了。天蒙蒙亮，我们给父亲穿衣，我一直担心他身体变硬，穿不上，心里很急。母亲与妹妹，急急忙忙从家里拿来了衣服。护工阿姨说，不行不行，子孙满堂的人，里面怎么能穿短袜、短裤头子、短布衫子，要穿长袖，长的。我茫然。阿姨说，帽子呢，干部不戴帽子，怎么可以去呀，要戴帽子……家兄看到了眼镜盒，我说，眼镜？阿姨不语。最后我和家兄与医工一起，抱父亲上车，推到附近的太平间——医院底层，门边嵌有一块墨字刻石**"備殮室，民國二十六年立"**。

　　父亲生于一九一九年，民国二十六年，即一九三七年，那是他十八岁在二百公里外杭州大营盘军训的时候，也是他得知战争爆发消息的这一年，他应该不会知道，二百公里之遥的远方，新建了这所陌生大房子，勒石铭文，会是七十六年以后，停放他遗体的所在……他晓得这所房子，看见过石上这两行隶字吗？

我和家兄扶父亲送入抽屉……医工说，现在磕三个头。我和家兄跪在水泥地上磕头。医工四十多了，看看我们说，阿哥，总要意思意思吧。我给了他们每人一百元。

他曾名大鹏，乳名玖生，曾用名丁弢、丁楚三、小丁、程维德、久年、边星、子翊等。

上海·云·上海 ◎ 母亲口述

『我不甘心沉沦，挣扎着不愿被巨浪吞没，求生必须划到彼岸，我没有学会在激流中游泳，觉得筋疲力尽，忽而沉下，忽而浮起，需要切实的援手，来拉我一把。』

『去年一年痛苦，原想今年会好些，但让我失望。如果他能回来，我什么都不怕了，拙笔不能道出我心情之万一。』

上海

一

我曾名姚志新，一九二七年生于上海南市"篾竹弄"。

记得我年过五十时，母亲对我说："小时候你真坏，带你到浦东'烊金子'，两三岁左右，抱也抱不动，让你走一段，一定要抱，甚至自己走回原地，再抱着走。"

我母亲一八九八年生于南京，籍贯安徽铜陵。曾外祖父在"太平天国"当差，据说由洪秀全做媒指婚。印象里，我外婆对"长毛"很反感，当年百姓吃观音土，普通人家吓唬孩子就讲："长毛来了，长毛来了！"天朝江河日下，曾外祖父晓得难以长久，在城外置了地，每天用荷叶水洗脸，面色发黄，佯装病故，最后用"脱底棺材"抬出城外，抽底脱逃，从此以种植桃李为生。到我母亲这一辈，她是家中最小的女儿，在私塾读过了《女儿经》，也算识字，上有两个姐姐，兄长开过扇子店。父兄死后，家道中落，大姐嫁在江宁县，二姐嫁到南京白下路陈家。

一九一四年，母亲随我外婆从南京来沪谋生，举目无亲，住西藏中路爱文义路（今北京西路）旅店（现为大观园某服务部），母亲想出去做工，店主桑荣卿见她面貌端正，十分勤奋，就给我父亲做了媒。当时我父亲三十二岁，丧偶（无子女），母亲十七岁，两人相差十五岁。一九一五年，他们结为夫妻。

我父亲生于一八八三年，祖籍浙江慈溪，后迁庄桥，读过两年私塾，十三虚岁在宁波银楼当学徒，白天打杂，晚上练字、练算盘。冬天河面结冰，手上冻疮溃烂，常黏住衣袖。几年后，他辗转来到上海，在南市小东门大同行"老庆云"银楼当伙计。银楼业按资本大小，加入"大同行""新同行""小同行"等同业公会（沪上"大同行"：裘天宝、杨庆和、老凤祥、老庆云、方久霞）。本家"三阿伯"是大同行"杨庆和"

银楼"阿大先生"（即经理），事业有成，买下了南市多间住房，个子矮，人称"小小阿伯"；我父亲排行四，个子高，侄辈称他"长长阿伯"。

我外婆一口南京话，母亲婚后随我父亲讲宁波上海话（当时上海话的"我"，曾是本地话"伲"——"我们"即"我伲"，之后"伲"就消失了，统一为宁波话"阿拉"）。住南市篾竹弄，父亲住店，只能在春节回家住几天，外婆和母亲平时做零活，搭火柴盒，"撬力头"（衣服缝边）贴补家用。以后，我父亲做了银楼"跑街"，携带金银首饰，进出上海大小公馆，给小姐太太看货。等我出生的一九二七年，银楼老板去世，因小老板幼时顽皮被我父亲打过，上任后就报复"回头生意"——大年初四，银楼业都要祭拜"接财神"，当晚没叫到名字的伙计，意味着"卷铺盖"回家——我父亲失业了。

父亲那时想开一家小烟纸店，但母亲不允说："我不愿天天掮'牌门板'。"——以前的商铺没卷帘门，每晚要插上一整排活动门板，白天脱卸。我父亲四十四岁，已经在银楼做了三十二年，经验丰富，决定重操旧业，花费两千银元，在提篮桥茂海路（今海门路）"凤生里"，开了"廉记老宝凤"银楼，初期借了底楼的两开间店面，楼上住"罗宋"（白俄）人，之后租下了二楼——这是父亲一生的转折点，他当了老板。

"老宝凤"经营金银饰品，也售卖银盾、银壶、银果盘、碗筷盆盘、福禄寿三星、弥勒佛等各式银件，兼收购、修复金银器件，此外的金银锁片、项链、嵌宝戒、手镯、婴儿响铃等技术复杂的品项，都需进货。收购的戒指、镯头等等不便熔化，都是请制作行代办，以后就能自烊了。全家住二楼前面两间加一个后楼，双亭子间当作坊，自制普通"小黄鱼"（金条）、"韭菜"戒、印戒（刻名字）、线戒，戒内刻有"足赤"及店名字样，贴有标明份量的小红纸。也接受首饰的加工修理，金匠锉下的金、银屑粉末、洗手留的"垃圾"都值钱，有专人上门来收。

"凤生里"是位于今长治路、东大名路之间的一大片典型上海弄堂，两个出口，"老宝凤"近第一个弄口，大门左右设玻璃橱窗，陈列大型银器，进门几步有柜台，账台略高，左首有玻璃台面"抛马橱"，陈列"非足赤"、红蓝宝石的"嵌宝戒"等饰件，由顾客选看。

店伙计是一对兄弟，名金如意、金如海，包括学徒，都按规矩住店，每晚取出柜橱内被褥，睡店堂"打地铺"。店后一小间客堂有窗，通"凤生里"。后门是灶披间（厨房）、楼梯，亭子间是作坊，晒台种了牵牛花、凤仙花、鸡冠花。我和父母弟弟住二楼一间，外婆、娘姨（即保姆）住另一间，大哥住后楼。按宁波称谓，我叫父母"阿爸"、"阿姆"，叫长兄"大阿哥"（大我七岁，小名"毛人"），弟弟"阿弟弟"，全家叫我"阿囡囡"。

小客堂间里，逐渐就有了沙发、"华生"电扇、"无线电"（收音机），播放"申曲"、宁波"摊簧"，有《大戏考》（刊登唱片戏词，共出过十八版）；其时梅兰芳、周信芳声名大噪，大家都谈论；电影《夜半歌声》广告最为惊骇，听说吓死过人；电影《姊妹花》也名声响亮；我去东海电影院看卡通片（《米老鼠》）、林楚楚的《慈母泪》、《桃花扇》，放映前有人兜售炒米花；戏院对面是新开张的"美女牌"冰淇淋店，大冰砖要价一元，紫雪糕两角，棒冰五分，"双水棍"一角，很贵。印象最深是电影《全国运动会》，我第一次见识了各种运动项目。

母亲平时梳发髻，后来梳"香蕉头"，由"梳头娘姨"上门来梳，用"刨花水"。当时开始流行"电烫"，记得我两个住周家嘴路的堂姐，怂恿母亲去做过"电烫"。

几个"镜头"一直留在眼前：我躺在床上，捧着奶瓶吸奶（奶粉冲的奶）；睡在父亲脚后；父亲常让我帮他把长裤脚管拉直，带我坐黄包车，一起去四马路吃喜酒、买风琴，去南京路"抛球场"中国国货公司，买深深淡淡的棕色羊毛外套。当时开始有"4000祥生"和"云飞"出租汽车，有敞篷式的车，一次跟从大人们坐车兜风……

常听见窗外后弄堂叫卖声："火腿粽子！""白糖梅子！""桂花赤豆汤！""白糖莲心粥！""焐酥豆要哦！""冰啊冰啊卖冰啊！"……还有"冷面！"小摊贩不断在弄内穿过。

我和弄堂小孩玩，晚上还捉迷藏，时常听到小孩吵架，大人出面相骂。有时我吃了亏告诉母亲，她从不和邻居理论，总说："哇啦哇啦不好，算了，吃亏就是便宜。"

弄口的镶牙店里，有活动椅子，摆有两三个大药水瓶，里面浸泡着死婴，后门垃圾桶旁总有一大堆石膏牙齿模子，也见过被丢弃的死婴，我很害怕。粮店门口摆了装零售豆类、大米、"洋籼米"的竹筐。女工在茶叶店（读初中才知，是周月星同学家开的）里拣茶。三岔路口烟纸店柜台，正对马路，冬天装一排玻璃窗，留有可以开关的小窗做买卖。马路斜对面是水果店，苹果、梨都能零卖，伙计削好了递过来，果皮仍完整包卷着。秋天，"糖炒栗子"烟气熏天。有次听说，炒栗子店隔壁的弄堂里，开了一家东洋堂子（妓院），好像"轰"的一下，许多人跑去看。

父亲说，我家马路对面是巡捕房，很安全。显眼的是头缠红布的印度"红头阿三"，巡捕常来我家店里走动。

沪西"大自鸣钟"我家（劳勃生路 308 号，英租界"盐业银行"旧址，1938 年搬至此）
三楼，铁楼梯通往四楼晒台，这架铁梯后改造成木板扶梯。

上　家族照片。后排左四为我父亲，前排左三为我大哥。

下　母亲（近 40 岁）摄于提篮桥茂海路老宝凤银楼前的人行道，左面是华德路（现东长治路），对面即巡捕房，我家在此开店到"八一三"淞沪抗战前。

"凤生里"十年，"老宝凤"很有收益，我父亲甚至做了虹口八埭头"新泰源"绸布庄股东。

记得小时的旧历年，我被人抱着，穿有亮晶晶珠片的绿绸面棉袄，戴绒线帽，脚上是四个扣子的绿色毛绒鞋。过年前，布店往往没生意，鞋店则生意兴隆。节日气氛从旧历十二月廿三日开始，家里送了"灶君"，就准备年货，去南货店买胡桃、蜜枣、干荔枝、桂圆、瓜子、花生、寸金糖、油枣（油炸面食，状如枣）、黑芝麻切片，各种水果，买十几只鸡、大量鱼肉。请人上门做年糕，带了木制打槌，做热腾腾的宁波式"年糕团"，有白糖豆沙馅、咸菜肉丝馅，现做现吃，冷了就不好吃了；也做芝麻猪油白糖馅的宁波汤团，自家磨"水磨粉"，用白布袋吊着滤水。吃"年夜饭"是旧历二十七这天，到二十八，是亲戚们互请，到了除夕，店里除几个学徒之外，伙计们都放假回去了，大年初四再回店。

厅墙上挂了祖上穿朝服的画像，合并两张方桌，供奉鸡鸭鱼肉、什锦烤麸、豆芽菜，果盘里有各种食品、水果，摆齐碗筷酒杯，两边点蜡烛，中间的香炉点香，全家祭拜。除夕夜守岁，大年初一可以晚起，大人和孩子都穿新衣，爆竹烟花不断。这一天不可以扫地。在"年初头上"，拜客不断，家人要送上盖碗茶，盖子上放一对檀香橄榄，互相拱手，"恭贺新禧！""恭喜发财！"走前放上红包。小孩们都能拿到压岁钱，这几天，大人们可以"摊牌九"小赌，搓麻将。到了初四晚上，是"接财神"，门外也有"财神"扮演者，手舞足蹈沿店讨钱。一直到元宵节点亮了各种纸灯，年才算结束。

那时过节都很认真。到"夏至"这一日，吃了红蛋，就要用大秤"秤人"，每人缩紧了身子，轮流抓住秤勾，嘻嘻哈哈非常热闹。到"端午"，门口挂艾草，孩子脸上涂雄黄，大人们喝"雄黄酒"。七月十五"鬼节"，人行道的树杆上连起长绳，扎有"白无常"、"黑无常"各种小鬼和白纸飘带，随风舞动，阴风惨惨。附近"下海庙"有庙会，众人扮成"阎罗王"、"黑白无常"，以及"打入十八层地狱"的"大鬼小鬼"游行。最吓人是领头数人（据说是赎罪的船民），用铁钩直接勾进手臂的皮肉（并不见血，不停朝手臂上喷水可以止痛），吊着很重的大香炉、镗锣，慢慢走过来。

"下海庙"供有"八仙"，父母把我"过继"给了庙里的"吕纯阳"，每逢生日，庙里就送来一个印有"长命富贵"四字的瓷碗，是一碗"八宝饭"，当然家里不能白拿，要付钱。七月卅日，"地藏王菩萨生日"，人行道的街石缝里插满了点燃的香火，家家如此。中秋节"供月"，在门口点燃一个插满各色纸旗的"香斗"，全家吃的苏式、宁式月饼，是附近"野荸荠"食品店买的，细绳捆扎，覆有招牌红纸，木片盒里垫干荷叶。一般不买广式月饼。家里请"厨房"上门做菜"摆几桌"，自带厨具和菜蔬，甚至"圆台面"，这在1930—1940年代风行，报上常登广告。家中除结婚办喜酒，一般不上饭店。

二

那是个重男轻女的时代。记得"一·二八"（一九三二年，我五岁），全家从上海逃难到宁波，全家去庄桥祭拜祠堂，女孩子没有份，不让拜。一九三一年我妹妹出生，父母雇了奶妈，不久她就被奶妈带到石浦乡下抚养，直到一九三八年，才把她正式领回家，身上、头发里全是虱子……我自小则被父母打扮成男孩，在工部局东区小学读到两年级，学校要改办女校，我是"男生"，就转到男女同校的工部局华德路小学上课。一次体检，老师才发现了我是女孩，通知我家，暑假后读三年级，必须恢复女装。那段时间我惶恐羞愧，战战兢兢，非常压抑，只要看到老师们说话，感觉就是在议论我。在两个月的暑假里，我的头发仅留长了一点点，名字从"姚志新"改为"姚美珍"，每天硬着头皮上学，很不是滋味，总觉得自己被大家当笑话议论。

工部局华德路小学在提篮桥监狱斜对面，进校门有一长条泥地，种满红艳艳的花，后来知道竟然是罂粟花。工部局小学强调理解，不背书，没有家庭作业，用陈鹤琴编的课本，每人一张铁木课桌。女生不用书包，抱着几本书进出校门，男生是用带子捆了书，挂在肩上，戴一种嵌有校徽的鸭舌帽，白衬衫，蓝色背带裤。女生戴"法兰西帽"（扁圆状有短辫子），也是白衬衫，秋季是藏青羊毛料子的背带裙，冬天加一件毛衣，脚穿流行的黑漆皮皮鞋。每个教室都生火炉，围有铁栅，炉筒通到窗外。小学三年级起教英文。有专门音乐室，老师用钢琴教课。操场很大，有双杠、沙池、秋千。下课后，学生们都冲到操场活动，上课铃一响，老师拿着戒尺守在教室门口，迟到的学生，每人罚打一记手心。我也被打过，回到座位，把手心贴在课桌内的铁皮上解痛。很喜欢荡秋千、滚铁环、"造房子"，集体跳绳是由两个同学用力挥动大绳，我喜欢一个人跳绳。

通常上午近十时，肚子就饿了，校门外的过道上，有小贩出售小罗宋面包（可以夹果酱、春卷），零食有带壳的芒果干、一粒粒"紫酸"（一种蜜饯），生意不错。

上左　我9岁，在工部局华德路小学上课，名字从"姚志新"改为"姚美珍"。1936年。

上右　顶楼晒台。

下左　在晒台上抱着大哥的大女儿爱婷。

下右　我14岁，南阳路爱国女中的学生证照。

沪西"大自鸣钟",我家晒台。

校门口常停有私家包车，明显与一般黄包车不同，车夫穿着整齐，白毛巾挂在肩上，乌亮的车身两边，各有一盏玻璃车灯，座位搭有苏格兰花格子毛毯，冬天盖在膝上，车拉起来很有精神。同学王美华家有包车接送，我家虽也有，但那是送大哥去荆州路工部局华童公学上学，顺路时才接送我。

王美华父亲是巡捕房"包打听"，家住汇山路（今霍山路）带厢房的石库门里弄。有次暑假我去看望她，王家伯伯对我亲热，给我喝"荷兰水"（汽水），这是我第一次喝这种饮料。我家到夏天，是买来冰块加红糖做冷饮，西瓜是一担一担买的，放在大方桌下，家人和店员学徒一起吃。瓜种有"老虎黄"、白籽白皮雪瓤的"三白"、三林塘"浜瓜"，这些品种以后就逐渐绝迹了。

很喜欢看书，订《小朋友》、《儿童时代》，看过一本介绍西洋音乐家的书，初次知道贝多芬、莫扎特、舒伯特的名字和故事，喜欢躺在靠窗的八仙桌上看，喜欢踏风琴，边弹边唱英文字母歌和儿歌："……小老鼠，上灯台，偷油吃，下不来，骨碌碌滚下来。"特别喜欢《送别歌》："长亭外，古道边……"

大哥比我大七岁，后楼有单独房间，里面有书橱、写字台，他从不让弟妹进去，外出就锁门。我常常爬过门上栅栏，进去翻《良友画报》、《电影画报》和感兴趣的书，时间差不多再爬出来。平时他对我和弟弟不亲热，我不服气，不称呼"大阿哥"，一直叫他"毛人"。

因为我出生前，有两个姐姐夭折，父母一直疼爱我，尤其我出生这年，父亲失业了，却又做了老板，生活大为改善，他认为遇到了好运，是我的命好。

我一岁，我父亲已经四十四岁了，记得他五十岁生日那天，我家后门搭了戏台"唱堂会"（当时习惯，家有喜事，可请戏班子、评弹、滑稽上门演出），邀宴来宾，请"厨房"上门做菜。我父亲手巧，会做各种鹞子（风筝），懂工尺，喜欢吹竹箫，喜欢翻阅《本草纲目》。我一直不在意他的年龄，直到有天他来学校接我，忽然发觉他和其他家长不同，一般家长有穿西装的，年纪都很轻，他总是长袍马褂，戴瓜皮帽，他怎么这么老！

一九三七年"七七"事变后，我父母一直担心日军打进上海，尤其虹口，比"一·二八"的情况厉害，已成日本人的世界，全家肯定要逃难。整个社会都被发动起来，沸沸扬扬宣传抗战，鼓励市民捐款。记得家里买了好几百个大饼（烧饼），用几个麻袋装着，我跟着大哥、伙计送去捐献"支前"。不久，父亲就借到了法租界拉都路（今襄阳南路）福履理路"拉都邨"二号的新式石库门，八月初，全家陆续搬去避难。"老宝凤"的金银财宝，委托给了新华兴业银行保管。

不久就听说，整个"凤生里"全部被烧毁了（包括父母和我的照片），我们今后再也回不去了。

大世界附近丢了炸弹。

有天晚上，我父亲见到装尸体的车往南边开。

拉都路福履理路以南，当年全是农地、坟地。有次去那边溜达，见到一个外国人靠在坟上看报，我和外甥阿珍就用石子丢他，然后躲起来。

再往南，就是肇嘉浜，那时是一条河，有枫林桥、东庙桥及西庙桥（现都是路和路名了）。我堂姐常去肇嘉浜的船上买山芋，她有一双高跟鞋，只要她离开"拉都邨"，我就穿上这双鞋，在房里来回走。

记得我清早到弄口买大饼油条，带一根筷子，或是用摊上的稻草串着油条回家。

记得冷天清晨，我在"拉都邨"天井里跳绳，穿一件毛巾布（当时流行）旗袍。

搬到"拉都邨"，大部分家具都留在"凤生里"，只带出一张大铁床，一个八仙桌和几张凳子，家里一直乱糟糟的，堆着被褥铺盖，晚上打地铺睡觉。做饭是用一种烧棉花秸秆的农家"行灶"。父亲很节俭，发现楼下客堂的地板坏了，买了装咸鱼的廉价木板箱，拆下木板补了几块，结果房间里整天散发着咸鱼的臭气。无收入，坐吃山空，父亲开始张罗着复业。

我停学了一学期，大哥仍去梵皇渡路（今万航渡路）的工部局聂中丞华童公学读中学，每天走路来回。傍晚，全家等他回来一起吃饭，他到家很晚，在厨房里听到脚步声，知道他到了。他常常从福履理路后门进来，我已饥肠辘辘（搬来这里，我没零食吃了）。

三

全家在"拉都邨"住了半年，经父亲张罗奔走，一九三八年阴历二月初七（大弟生日），我们搬到沪西英租界"盐业银行"旧址，劳勃生路（今长寿路）308号，另一门牌是小沙渡路（今西康路）1177号。父亲顶下了这幢十字路口的三层洋房，重开"廉记老宝凤"。

这里比提篮桥老店宽大考究得多，两扇玻璃大门，三面临马路的橱窗。盥洗室有浴缸、抽水马桶。一楼二楼之间有一间原银行库房，厚厚的门，二楼四个房间，三楼有厨房，两间卧室，一间作坊，一个铁扶梯通屋顶大平台，夏天可以乘凉。眺望四周，最显眼的是马路中间一座高塔，即有名的"大自鸣钟"，又称"川村纪念塔"，纪念一个叫川村利兵卫的"内外棉株式会社"日资老板。此人在沪西设"内外棉"工厂十数家之多，一九二二年病逝，日商在此建"川村纪念计时塔"，成为这一带区域的标志性建筑，也是16、24路电车终点站，电车绕它的基座转一个来回。一九五八年因"妨碍交通"拆除，钟体建筑坚固，须搭脚手架等等费时一年多才完成。上海人至今称这里为"大自鸣钟"。

沪西一带大小工厂极多，有"内外棉"纺织厂、荣家的中资纺织厂、面粉厂，以及无数小工厂。窗外常看见的景致是年轻女工们坐的廉价独轮车，来回往返，络绎不绝。

银楼生意很好，请来一些亲戚帮忙。父母自小教育我们兄妹，见长辈要称呼，伯伯嬷嬷阿姐阿哥，彬彬有礼，坐有坐相，立有立相，吃东西不出声音，聚餐先离桌时要说"大家慢用"，勤恳做事，不得马虎，节省，桌上一粒米饭也要拾起来吃掉，用功读书，客厅墙上挂有《朱子家训》。

母亲坐账台、收账，里里外外一把手。提篮桥老店对面有英租界工部局巡捕房，比较安全，搬来"大自鸣钟"，地处沪西的交通要道，却常有流氓进店寻衅捣乱"敲竹杠"，每到这时，母亲就对父亲说：你到后面去，我来对付，我一个女人家，不怕这种"赤佬"会怎样？！一次几个歹人进店滋事，竟然就把大哥当"小开"逮走了，父母嘱我立刻赶到同学王美华家，求王家伯伯想办法。那时王家刚从虹口搬到了康脑脱路（今康定路），最后，王家伯伯设法把我大哥放了回来。我父母觉得这里的安全问题愈来愈严重，最后出一笔钱，求到了"海上闻人"虞洽卿、闻兰亭具名的两幅书法，镶了大镜框，挂在店堂正中做"保护伞"，才减少了许多麻烦。

　　租界成了"孤岛"，各校只能自定教学课程，我读的思源中学（江宁路分部）原是仓库，时常是整个上午开课，或全部是下午的课，地方小，没有活动场地。到一九四一年，我转到南阳路爱国女中读初三（上），学校很正规，有篮球排球场，也可以上音乐课，一直记得有一首"花非花，雾非雾，夜半来天明去……"谱成的歌。"思源"教物理，爱国女中则是化学，我有点跟不上，但语文成绩一直很好，特别是作文，深受杨明皓老师称赞，总给我高分，我一直记得她的名字。

　　一九四一年十二月八日，太平洋战争爆发了，日本人进入租界，过完了一九四二年寒假，我到思源中学（总部）读初三下。每天坐 16 路电车去爱文义路

左　淡绿色旗袍，低领（夏天的原因），纽扣属新式，不是盘钮。我已改名为"云"。

右　在赫德路"觉园"。（申怀琪摄）

上学。没读满一个月，有一日本人在我家区域的"药水弄"附近被杀，这一带突然遭到日军封锁，圈地彻查，外面人进不来，里面的人出不去。从我家窗口望下去，"大自鸣钟"基座阶梯上，沿街四周，整天坐有面黄肌瘦、蓬头垢面、无精打采的人。封锁后粮食是大问题，平时只能靠挤"户口米"吃"六谷粉"，根本抵不了饥，只有饿肚子，据说饿死了不少人。

我三个星期无法到学校，闷在家里看巴金《家》、《春》、《秋》，张天翼的小说，柯灵的《万象》，读鲁迅的书。等解除戒严回校，上课不满两个月，校长被日军逮捕，学校停课了。

当时我班的周月星、高三的汪树荣，组织大家在校自习，高年级同学教低年级同学，也曾组织排练一次独幕剧《归来》在校演出。剧中兄妹角色，兄由高三的翁俊扮演，妹由我扮演。以后汪树荣就被大家推选为校学生会主席，大家都叫他"汪主席"（开玩笑而已，当时伪政府汪精卫已称"汪主席"）。

汪树荣的组织能力很强，我觉得他很了不起，对他有些好感。后来，周月星参加了共产党，据说汪在东吴大学毕业，参加了国民党。

等报考高中阶段，父亲执意要我去读同德产科学校（位于山海关路），希望我在此校毕业，再读医科大学，希望我做西医。

我母亲生了十二个孩子，除大哥、我、妹妹、大弟和小弟外，其余七个都夭折了。父亲虽然喜欢看《本草纲目》，但依然深信西医，在提篮桥老店，家人一旦有病，都是请中国医院王伯元西医诊治，接生是请王医生之妻袁惠玉，她是妇产科医生。这样，我就进了同德产校，主科产科学由留德医生讲授，包括助产士、如何铺床叠被等课程。

我很不喜欢这些课程，越来越觉得乏味。一次产科学只考了30分，老师甚是严厉，不及格必须复习重考，总算补考得到96分。

记得有一天，同学拉我到产房观看接生，产妇阵痛当场大叫，吓得我逃了出来（我只有十五岁），深感这样读书极不快乐。一次听同学讲，教国文的戴介民老师，是附近"建承中学"的校长，我很高兴，鼓起勇气找到戴老师，希望下学期能转到他办的中学读高一（下），他一口答应了。

同德产校的刘克萦是我的好朋友，后来她也离校了，婚后住思南路。我们来往了数年，直到她去天津，才中断了联系。她曾送我一张照片，我一直保留着，照片背面写"她能算你的好朋友吗？萦9.15"。

云

一

小学时期，我改"姚志新"为"姚美珍"，仍然不怎么喜欢，初二起改了单名"云"，觉得这个字很美，是小说中的名字。几十年后感觉，这个字有彷徨无定之意，名如其人。

一九四三年二月，我从同德产校转到了建承中学读高一（下），此校由戴介民夫妇出资创办，位于白克路（今凤阳路）一幢三层楼的里弄大宅。戴校长曾署名"巴克"出版《新哲学教程》，早年参加共产党，该校教师都倾向共产党，课程与其他学校不同，这里曾是党的地下据点，气氛独特。

我读的文科，开始由桂宁远先生（当时不称老师）主教，高二改由蒋福俦（蒋锡金）先生教《古文观止》、《离骚》、"国学概论"、"文艺思潮"、"创作方法"（包括鲁迅的《药》）。每周全体高中生上"公民课"，听戴校长讲"伦理学"，实际是讲"唯物辩证法"。教导主任袁明吾讲"政治经济学"，在袁先生那里，我看了《在延安文艺座谈会上的讲话》、《西行漫记》、《大众哲学》，校图书馆可借到普希金、托尔斯泰、高尔基、巴尔扎克、罗曼·罗兰等人的作品。

我的文科成绩不错，在高三担任过"级长"，担任"级联会"主席。二楼的走廊，辟有很热闹的墙报，内容是短评、班级新闻、生活花絮等，每月按各班成绩、秩序、礼貌、整洁评比，然后归类到挂了飞机、火车、奔马和乌龟的四张炭画下。也举行展览，包括同学的文章、业余手工，甚至绣花。我写的一万字杂记也被展出过。

每班有手抄本的"级刊"，我班命名为《炼》，为办这个小刊，我往往要忙到晚上九时回家，为此一直受父亲的责备，当时"灯火管制"，很不安全，我常常因为饿饭引发胃病。

16 岁在"觉园",1943 年。(此照曾送给唐凌生。)

蒋锡金先生、朱维基先生对我们很亲切，常参加我班的读书会，细心讲解文章背景。寒假里，我们一起到朱惟新同学家，听蒋先生讲鲁迅的《且介亭杂文》，记得那天大家买的是山东羌饼和花生米当午餐。大家也去赫德路民厚里蒋先生家，听讲鲁迅《摩罗诗力说》。去朱先生家，他为大家讲拜伦、雪莱的诗。有一次蒋先生带了柴科夫斯基《悲怆交响曲》唱片和留声机（唱机），在教室播放讲解。班里组织过关于《悲怆》的讨论。一次是蒋先生和我们去高三董喆池家开元旦联欢会，去仲志士家包饺子。暑假时，我们骑脚踏车到闵行同学夏诚希家、庙行徐洪良家玩，去江湾郊游。

有一次，大家骑车到真如郊游，路过三官堂桥，桥堍边停着一辆一辆黄包车，地上一排长长的把杆，顾雅珍刚学会骑车，大概是刹不住车，竟然从这排长长的把杆上辗过，车夫大为吃惊。傍晚回到市区，经过杜美路（今东湖路）延庆路转弯处，她又把一辆三轮车撞了，同时撞翻了客人扫墓带回的祭品。蒋先生出面交涉、道歉再三，总算过了关，我心里觉得很对不起人家。

一九四四年除夕，有件特别难忘的事。

这天上午，蒋、朱两位先生和董喆池、朱惟新、田杰人、申怀琪、柴宏孚等同学，相约到南市民国路（今人民路）赵南山家聚会，赵父开诊所，是一座面朝马路带厢房的旧宅。蒋先生发现我没参加，让赵南山拨通我家电话说，大家都在等我，一定要我来。我说路太远了，又下着雨。蒋先生一遍又一遍地电话催我，结果我只能冒雨赶去。大家围坐一张大圆桌子用餐、喝酒，很热闹。结束后，蒋、朱两位先生说，带大家去访问翻译家傅雷，我们就随他俩去了。

傅家在法国公园（今复兴公园）附近的"巴黎新邨"，一幢新式里弄房子，敲门进去，傅雷夫人非常和气，请大家把雨伞、雨衣放在客厅前的门廊地上。这是除夕的下午，我们待在客厅里，她上楼去通报，显然这群不速之客惹怒了傅雷先生，他没有露面，我们只听到楼上传来一阵阵的大骂，显然是赶大家走，我们觉得不可思议。当时蒋、朱先生很尴尬，真有焦头烂额、无可奈何之感，只能领我们悻悻离开，但出了门，他俩并不在意，仍然兴致很高地说，我们去淮海路一家著名的咖啡馆喝咖啡吧！一路上，大家你一句我一句，大骂傅雷"有什么了不起的"等等。这天喝完咖啡，大家嘻嘻哈哈聊了一会，走出店门。蒋先生忽然回头对我说："你刚才坐在我对面，你的鞋怎么一直踏在我脚上？"我浑然不知说："是吗？那为什么不早提出来？现又怪我？！"蒋先生是个很风趣的人。

四月初，学校照例放春假三天，申怀琪、赵南山、田杰人提议，不参加全班的集体春游，我们改去松江踏青如何？据说那地方有一棵几个人合抱的大树云云。我同意，并邀了我的初中女同学葛智华一起去。等大家到达了北火车站，他们又和我商量说，不如改去杭州如何？申怀琪的父亲是律师，有个同乡在杭州开商号，可以找到这位老先生帮助接待我们。大家同意了，但都说没带什么钱。葛说：我有一些，大约够用了。于是大家挤上了火车，到杭州已是下午四时，就按地址找到了这家商号的住房，开门者却说，此地并无此人。我们大失所望，无奈走出巷外，不知如何是好。正在发呆，忽听到身后有人招呼，房主让一个佣人跑来唤我们回去。

那是一幢有天井的大房子，晚饭桌子就摆在宽敞的天井里，屋主姓翟，对我们很客气，请吃晚饭，还给每人倒了一杯白酒。我从来没喝过白酒，乘他不注意，偷偷把酒倒在身后的落水沟里。晚饭后，翟老先生陪我们到吴山，去云居山寺庙借宿，三个男学生住前间，我和葛住后间。第二天清晨起来，我们就到山上各处溜达，四周郁郁葱葱，空气清新，静谧中不时听到鸟鸣阵阵，大家对群山喊叫了多次，都有回声，山景实在太美了，心情舒畅之极。我们经过附近一间静室，向里张望，窥见几个和尚正在打坐，觉得十分好奇。

庙里的早餐很丰盛，稀饭、馒头，甚至有皮蛋、火腿和肉松。饭后，老先生就陪我们去西湖各处游玩，"上天竺"的游客不少，已经是中午了，路边搭有一个个棚子的小餐馆招揽顾客，我们就在一个小棚里吃午餐，点了一桌子菜肴，实际是为了答谢翟老先生，付账时大家倾囊而出，余钱已剩无几。玩了一天回到居处，大家议论说，假如明日再让主人来陪，是非常过意不去的，再在外面吃午饭，已付不起钱，加上早起时，有人不慎打碎了一只热水瓶，怎么办？商量来商量去，决定还是溜走为好。

第二天一早起来，大家不吃早餐，给主人留了感谢条，悄悄地不告而别。然后直接去西湖划船，湖中游人不多，最后我们却划到了一个很荒凉的地方，游兴很是低落，也因为没钱，早餐每人只在路边吃了一个粽子，中午吃了两三块小饼，口袋里只剩回程票的钱。等我们赶到杭州车站，只见人山人海，乘客如潮水般涌来涌去，差不多要把我们挤散。总算上车后五人在一起了，等火车到达上海西站，已是晚上十点钟，都没吃晚饭，肚子咕咕叫，浑身乏力，身上没钱，只能步行。走到我家门口已接近午夜了，我立刻敲门上楼取了钱，让他们三个男生坐三轮车回家，葛先走了，她家就在附近的"草鞋浜"。

第二天，申怀琪说他倒在三轮车上，满眼仍旧是西湖的景色，人几乎饿昏了。

这次难忘的离群饥饿旅行,受到老师严厉的批评。

一九四三年我读高一时,对高二高三的同学不熟,有一次上大课,坐在后排的高二同学赵南山,拉了我辫子一下,我很愤怒地回头说:"干什么?"他说:"我知道你名字,你会演戏吗?"他身旁是高三的唐凌生。他俩说:"想请你参加话剧社。"

为筹备这年四月二十七日的校庆,我们排练了曹禺《原野》序幕,我演金子,唐凌生演仇虎,申怀琪演焦大星,赵竑演白傻子,申怀琪兼导演,赵南山当剧务。记得演出之后,唐不知怎么割破手流血了,我在后台掏出手帕为他包扎。

我们成了好朋友。唐和申有弟妹多人,大家总在一起玩,经常聚会说话的地点,是静安寺路(今南京西路)仙乐斯舞宫前一大块空地上。

记得这年暑假,我跟唐凌生、申怀琪等话剧团的朋友,轮流去金城大戏院后面厦门路一个"弄堂识字"班,义务教女工们识字。当时我十六岁,所教的女工们都是二十多岁,她们都在附近一带的工厂里上工。这期间,唐高中毕业了,不久他就离开上海,参加了浙东的新四军。

一年后,即一九四四年校庆,我们排演了独幕剧《教训》,之后因为物价飞涨,校方为贫寒同学募捐助学金，决定由蒋锡金先生主持，排演五幕剧《欲魔》（托尔斯泰原著《黑暗的势力》，欧阳予倩改编），于七月份在金城大戏院演出，票由学生们分头推销给亲友。蒋先生请了戏剧家蔡芳信担任导演，美术家刘汝醴设计。男女角由申怀琪和我扮演，课余排练。蔡先生对人物的一举一动严格挑剔，我的坐姿，往往不知觉中稍有点弯腰，他就立刻要我纠正。申怀琪也特意第一次来我家，借了我父亲的长袍马褂，我则穿了嫂子陪嫁的绣花衣演出。

二

我和唐凌生相处，前后只有四个月，初次和他说话，是在学校一楼到二楼的转弯墙角处，以后我们常在此地交谈，总有讲不完的话。他和申怀琪关系密切，我们三人曾到静安寺的百乐商场（现第九百货）"桃园"面馆吃大排面，这是我第一次和男同学在外用餐。大排有骨头，我觉得啃骨头样子难看，就把它分开夹到他俩碗里。他们嘻嘻哈哈说，这是"桃园三结义"。

唐是广东人，性格豪爽开朗，读书成绩好，个子比我略高，面容英俊，思想进步，喜爱文学、写诗。他主动接近我，我对他也有好感。有个星期天，他约

左　话剧《原野》序幕，我演金子。

上右　演出后的合影，身后是锡金先生。

下右　唐凌生（前左）演仇虎，赵竑（前右）演白傻子，申怀琪（后左）演焦大星。

上左　普西金铜像，两个陌生外国小女孩主动跑来合影。那时铜像的位置处于下方，比较亲民。1945 年。

上右　高中时在兆丰公园（今中山公园）。

中　我与葛智华。

下　杭州春游合影。

我一起去外滩公园，我去了。他送了我一首自己写的诗，我送给他几片夹在书里的红枫叶，一直聊到了中午，他送我到江西路（今江西中路）16路电车终点站上车。

我回到家，脸上红红的，这是我第一次和男生约会，有点激动，初中同学葛智华正在我家，我忍不住把上午的事告诉她。第二天我到学校，遇到申怀琪，他笑着对我说："你和唐昨天去了外滩公园？"我说："你怎么知道的？你怎么不招呼我们？"他说："我是在外白渡桥上看到你俩的。"后来知道，是唐忍不住告诉他的。此后，我和唐曾去过"兰维纳"公园（今襄阳公园）、兆丰公园，就是谈话，天南地北地谈，后来还去江宁路一家餐馆吃面。

这样，我和唐算是谈上了恋爱，虽然只有三个多月时间，等唐凌生高中毕业，他丝毫没提上大学的事。八月的某天，他忽然对我说，准备参加浙东新四军游击队（已有几批学生陆续参加新四军）。我立即很天真地说，我跟你去。他说，这次你不要去，以后再去吧。

我送了他一张在"觉园"手扶栏杆的照片，以及照相馆拍的照片。临别时，给了他一双银筷子，两根筷子由银链子连着，是我从家里拿的。（几十年后重逢，他提起这事，我才想起。）

他到四明山以后，寄来好几封信，我也一直去信保持联系。到了一九四四年暑假的一天，他忽然回沪，打电话约我会面。他父亲是上海自来水公司的工头，属于工人家庭出身，获得组织上的信任，派他来沪动员进步学生，参加他所在的浙东新四军三五支队。

对于是否去浙东，我一时拿不定主意，感觉在"建承"读书很快乐，有点舍不得离开，犹豫再三后决定，等高中毕业后再去。我对蒋先生谈及此事，他也认为，我还是读完高中为好。蒋先生说，他自己也是从根据地来的，"你去了那里，在文学上学不到东西"。

我与唐见面那天，他从江西路的家，赶来沪西大自鸣钟"悦来芳"食品店（16路车站）门口等我，那是我们约好的地点，但那天父母知道我去见唐，坚决不让出门，最后是由我妹妹出面，带给他一个口信：改日在外滩见。

这一次见面，已没有曾经的气氛，唐详细介绍了浙东的情况，他的谈话主题，就是动员我随他离开上海。我讲了自己的决定，我说，这一次不打算去了，以后再去，婉拒了去浙东的计划。听我这么讲，他表现出很不高兴的样子。记得他当时哼着苏联国歌，板着脸，没说几句话就告别了。他对我的态度和一年前不一样了。我也很不高兴。

以后，再也不见他来信，而我没有忘记他，半年后（一九四五年春），我从同校读书的唐凌志（唐的弟弟）处知道，浙东有人要来，托他带了一支自来水钢笔给唐，还写了一封长信，没有回音。

一九四五年五月十五日上午，学校发生一件大事。我们正温习功课，准备迎接毕业考，忽然听说有数个日本宪兵冲进了学校，进入教师办公室搜查，翻得乱七八糟。唐凌志、我班的班长、级联会主席夏诚希等多人，都被叫去问话，校长也被叫去反复查问，据说这些日本宪兵，是专门来捕捉唐凌志的，昨晚已去过他家，适逢他住到学校对面的徐洪良家。宪兵查抄了唐家，第二天再到学校捕他，发现学校的级刊墙报有明显的抗日内容，接近中午，搜查还在继续，因为楼下有小学部，到了中午，宪兵不得不放全体同学回家吃饭。

我心里清楚，抓唐凌志一定是与其兄在新四军有关（后知道，确实是因为有信落入敌手），我想到曾经在一九四三年下半年与唐凌生连续通信，有一次他在信中很不谨慎，明目张胆把新四军写成"N.4"，我估计兄弟二人同样不慎，引起了日本人注意，也想到了曾经赠照予唐，照片很可能仍在他家，包括我给他的信，如果查到的话，我就有危险。

我唯恐被牵连，忐忑不安，如被日寇抓去，结果难以想象。上午总算熬过去了，我出校立刻去找申怀琪，他与唐的关系最密切，很担心他也被牵涉。到他就读的东吴大学（江宁路梅陇镇酒家的弄堂）通知了他，然后我们一起赶到赫德路，找到了无课在家的蒋先生，通知他学校发生的事，让他下午千万别去学校。蒋当时正在写稿，手拿着稿子就从家出来，三人一路商量，学校发生这事，我们以后怎么办。正在路上走，一位初中同学叫住了我说："听人讲东洋人提到了你的名字！千万别进学校！宪兵在学校还没走。"（后知道蒋父也被叫去问话，宪兵共捕去师生八人。）于是，三人急急忙忙在西藏路吃了面，决定暂时躲避为好。申因为下午有事先走（后知他直接去了家乡河北，直到抗战胜利后才回沪）。

蒋和我先到一位靠得住的诗歌"行列社"（蒋举办的诗歌团体）老朋友诸敏家落脚。天近黄昏，他打电话请我大哥出来，在南京路"新雅"吃盖浇饭，讲了学校发生的事，决定先送我到他的朋友诸敏处暂避，请大哥回家告诉父母，请他们放心。这样，我们就和大哥分手了。

诸敏住正阳路（今石门一路）一幢英式老洋房，属于日本某新闻检查机关，诸就在此工作，楼上有一间二十平米的房间，是诸和妻子茅肖梅的家。茅正怀

上　高中同学合影，兆丰公园大理石音乐堂。

下　兆丰公园野餐，高一，1943 年 3 月。建承中学为戴介民夫妇出资创办，曾被称为"孤岛"的"抗大"。左面梳辫子的是我，戴礼帽者是校长戴介民。

孕，挺着肚子，房内有独用盥洗室。我和茅睡床，蒋与诸打地铺。楼下住着两个日本人，据说是该机关负责人。这幢房子常有几个年轻男子进出，诸敏较信任其中一位名叫张汀的青年，当夜我们就在一起商量，最后决定，我和蒋还是去安徽天长的新四军军部，于是找了诗歌"行列社"成员的老党员沈孟先，请他设法接通关系，办妥组织介绍信等。这事由张汀联系，要花好几天时间。我们暂时不便外出，只能玩扑克牌。楼下两个日本人也时常上来，表示友好，双方语言不通就用笔谈，我心中甚是厌恶他们。

几天后得到消息，到安徽去，一路上要经过几个关卡，路不熟，不如准备一些被褥铺盖，请当地的脚夫挑着引路，才可以走通。至于路费，蒋把匆忙中带出的半部《星象》书稿，给了"永祥印书馆"的范泉，暂领到一些稿酬。我把手上一枚金戒指换成了现钱，还去附近的"南京理发店"剪了短发。

十九日下午，诸敏陪了我坐三轮车去葛智华家，打算请她到我家拿取被褥，但葛不在（葛家困苦，当时她是去"跑单帮"贩米），我只能打电话请同班的顾雅珍帮忙，顾住虬江路，家里也开银楼，我和顾就在西藏路"和平电影院"旁的"和平咖啡馆"见面。诸敏说他有事去办，再三叮嘱我，一定要等他来接，千万别离开。

　　我和顾雅珍坐下，她就告诉我学校发生的种种后续。我提出请她帮忙去家里取被褥，她则劝我要冷静，说我父母如何着急，劝我一定别跟着蒋走，而且，蒋是有家室孩子的人，影响不好，不如以后再去。我说不管这些了，已经决定了，我和蒋到了那边，肯定是各管各的，我的目的是去参加革命……正说到这里，我大哥忽然走进咖啡馆，不说一句话，一把抓住我不放，立刻就拉我走，我实在挣不脱，只能对他说，让我写一个便条（请服务生转交给诸敏）。我在留条上写："明日下午一时在此见。"事后知道，开初我与顾通话时，顾的弟弟就在她身旁，顾弟和我大哥有来往，就立刻给我大哥打了电话。

　　当天下午，大哥带我到新闸路，走进他熟稔的王伯元开的小医院，借三楼无人病房住宿，一直在规劝我不能走。不久，父母和阿嫂（正在怀孕）全来了，哭哭啼啼，不许我离开他们。第二天，阿嫂又陪我到大连路印刷厂，这是大哥好友周祥林家的企业，进大门穿过工场就是周家。阿嫂一直紧跟着我，寸步不离，我不能推也不能搡，根本不允许我打电话，我的留条之约，只能失败。后听说这天下午，诸敏和张汀在咖啡馆从下午一点等到三点。

　　在周家住了五天，我和阿嫂二十五日傍晚回到"大自鸣钟"的家。父母说，近日店外常有陌生人徘徊，觉得我回家不安全，蒋父也曾来店打听锡金下落，称宪兵一直逼蒋去自首。当时我却是想去诸家道歉，对失约的事总要有个交代，我只能再三向父母保证不再离沪。晚上，我去见了诸敏，从诸处得知，蒋已于昨日（二十四日）离沪。

当夜，我住到周家嘴路的堂姐阿菊、阿丽姊妹家里，石库门房子，我睡后客堂，白天只能在亭子间看书写字，满屋炎热的太阳，在无聊不安中熬日子，几次外出，是去诸家看望、送礼感谢，楼下两个日本人对我挺客气，就这样一直住到八月初，我才回家。

抗战胜利后，我去诸家，他们的孩子已经出生，我碰到了楼下那两个日本人，他们请我坐，我们的交谈仍旧是在纸上写字，他们写"以后有便，请来日本玩"，还写了各自的地址。我写了一句："你们侵略中国，终于把你们打败了！"吐了口恶气。

我见到了戴校长，虽然我未经考试，他仍然给我颁发了高中毕业文凭，写了"品学服务均甲"的评语。我们没有谈到日寇来校事件。直到四十年后，我在《建承中学校庆纪念刊》中得知，戴校长为保护师生和学校，忍受了日寇严刑。（"文革"时期，戴在华师大含冤去世。我记得曾在中山北路69路车站上，远远见他走去的背影，非常憔悴。）

一九四五年秋，上海各大学自主招生，学费很贵，考试时间各定。初一同学马瑞丽与姜桂英，拉我报考圣约翰大学，我虽然英文差，没信心，也勉强去考了，结果三人都没有被录取（此校英文要求极高）。九月十五日，考私立复旦大学，我与顾雅珍、吴凤英三人同往，我投考中国文学系，十七日考作文，记得题目是"成功之路"，十八日考其他科目，二十日揭晓。我和吴凤英被录取了。

私立复旦在赫德路近新闸路一幢大洋房里，门前空地甚小。有好几个系，教室内外人挤人，各系教室交换上课。中文系主任应功九和文学院长应成一是兄弟俩。开课第一天上英文，老师是顾仲彝。周予同先生教中国通史。我每天骑脚踏车上学，不久认识了外系学生王丹心和鲍静佩，我不记得怎么认识的，以后知道，他们是中共学生党支部的成员。

此时，老同学申怀琪已从河北返回上海，考取了上海法学院（以后转到上海戏剧学院），赵南山毕业后去新四军根据地，此时也突然返沪，三人相遇。适逢蒋介石从重庆回到南京，记得是十月十日"国庆节"这天，我们三人同逛南京路，满街飘扬"青天白日满地红"旗。蒋介石像陈列在各店的橱窗，身穿戎装，挂着无数勋章，好不威风。路上挤满了面露喜悦的人们，我们从成都路一直步行到外滩"轧闹猛"，这真是个万众欢腾的日子，这是万分难忘的日子，抗战胜利了！日本投降了！中国人扬眉吐气了！

三

朱维基先生是本地人，住在离我家不远的星加坡路（今余姚路），我骑脚踏车去复旦上学，总路过他家附近。十月下旬的一天，我顺路去看望，见他正和一陌生男子叙谈。朱先生介绍说，他叫程维德。

那天我没说什么（也是插不上嘴），只听他们聊，感觉眼前的程很爽朗，社会经验丰富，是个大龄青年。

此后，朱先生常约我和其他朋友聚会，程维德也参加。当时朱在筹备办《综合》杂志，有时请大家去瑞金大戏院对面小酒馆喝酒，去西藏中路"青梅居"——北方人开的"卖火烧"（火烧即烧饼）简陋小店，店里也可喝酒，或者去"新雅"喝下午茶，去平安电影院南面一家小咖啡馆"吉士"聊天，大家还一起去看刘汝醴在国际饭店的画展。我印象中，程维德常在朋友们聚会还没散时候，就离席先走了（实际是去威海路"达巷"与组织联系）。

朱先生不止一次告诉大家，程维德是一九四二年他在南市监狱的难友，当时程很关心狱友们的生活，为此和狱方激烈交涉，肯定是左倾进步人士，人品好，文章写得好，可能是共产党……诸如此类。我为朱主办的《综合》杂志写过一篇巴金《憩园》的读后感，也看到了程写的几篇社论和散文，笔名"边星"，读了几遍，的确写得好，但看不透他过去的经历。

程维德当时住星加坡路"星邨"，那是他朋友萧心正姐姐萧慕湘的家，离朱先生家不远。记得小学同学王美华去世，我和吴凤英骑脚踏车去安乐殡仪馆祭奠，顺路把两辆车寄放在程住处。取车时，吴凤英有事先回，我和程闲谈了一会，记得谈到了《101首西洋名曲》，一起翻阅，我还哼了几句《夜莺》。

我和程维德的交往，与以往我和男同学们接触那样平常。有次我和程维德、朱先生、朱的朋友李毅夫等几个人在"青梅居"喝酒，转到西摩路（今陕西北路）"吉士"，程已经醉了。我就坐他的对面，才第一次毫无顾忌地端详他，觉得他英俊端正，只是个子稍矮些。以后，他谈到对我的初次印象，说他倒不嫌我个子高，感觉我为人真诚，气质好，初以为我是个小学教员，穿蓝布（阴丹士林布）旗袍，沉默寡言，朴素，就开始注意我，曾数次在路上遇见我，却没有招呼——清早他总在附近小沙渡路海防路口的小摊吃豆浆，几次见我骑车经过。

接触多了以后，他常常给我电话，事由是借书、还书，我感觉这样下去，可能会进一步发展，怎么办？曾想中止与他的联系，把他介绍给顾雅珍，思想有过斗争，反复思考，最后决定任其自然。

当时他在《时事新报》当记者，跑新闻。一九四六年，学校即将迎接重庆北碚"复旦"返沪，迁回江湾原址，走读将改为住宿。因家里没有小型衣箱，他陪我到江西路"中央商场"购得一旧皮箱。也曾随他一起参加国民党市府的记者招待会，去过他的新住处——报社宿舍（今延安东路），那是机声隆隆的印报车间旁一个小间，当时我想，周围这么嘈杂，晚上怎么睡觉？看他西装革履，整整齐齐的样子，觉得他的日子并不好过。

从初中到高中，我接触的男同学不少，对待他们，就像是对朋友的那种"同学之交"，仅对唐凌生产生过短暂的感情。对程维德也一样，认为他只不过大我七八岁，富有社会经验而已，在这种自然交往里，却不知不觉产生了好感。

一九四六年暑期，朱维基先生已去山东根据地，程维德住胶州路康脑脱路一间平房，我去看过他数次，谈得很投机，感觉他有不平凡的经历，性格坚毅，待人和蔼可亲，社会经验丰富，读书比我多，文笔老练，对文学有共同爱好，对一些事情的观点也相似。程维德家从盛到衰，我家则相反；我只是单纯的学生，他有复杂的经历。在我们的谈论中，他很少谈及曾经有过的艰辛痛苦。我心里丝毫没有想过他家有没有钱。我不懂生活的艰辛，即使最困难的敌伪时期，物价飞涨，民众吃"六谷粉"，我家仍然衣食无忧，只是不吃大米了，每餐改为一冷就发硬的"洋籼米"，我没尝过吃不上饭的滋味。

以后略微知道，在吴江黎里镇家中，他还有母亲要供养，知道他有个好友萧心正，他们倾向共产党，至于目下究竟干些什么，不甚清楚。

有一天我俩闲谈时，突然走进一男一女，男的年龄稍大，女青年秀气美丽。程维德介绍说，都是他的同乡老友，以后才知道，抗战爆发时，这位女青年与他一起参加"武抗"（华东人民抗日武装义勇军），后因病回沪治疗，他们当年曾是恋人，后来分开了。

这年暑假，我常常隔几天就和程维德相会聊天，总是在中饭后，太阳热辣辣的，雇一轮黄包车去他居处。有一天傍晚，我们从胶州路步行到静安寺。人行道上摆着不少地摊，叫卖质高价廉的美军剩余物资，有罐头午餐肉、"克宁"奶粉、军用皮带、水壶，记得我买了一个墨绿色的军用钱夹，布料结实别致，用了它很多年。

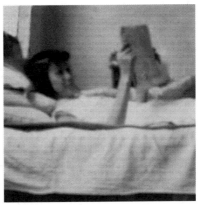

上左　上右　下左　18 岁，考入私立复旦大学中国文学系。

下右　胶州公园，1945 年秋。

上　我和同学们，1947 年。

中　和来自重庆的复旦同学合影，1947
年春。重庆复旦校部迁回江湾原址，改
私立为国立复旦，校园里来了很多讲四
川话的同学。

下　复旦图书馆前。

那个时期，组织上介绍程在《时事新报》当记者，不久却遇到报社发不出工资，全体记者罢工。这期间该报载文，特别提到一记者因几月拿不到工资饿肚子的事，所指的就是他。当时报纸主编是唐纳（江青前夫），经理为夏其言。

也在这阶段，我知道了程的本名大鹏，但一直自称程维德，在《时事新报》改名金子翙，我则一直称他"维德"，每次通信的称呼都写"V.D."。一九四九年后他改名若望，仿佛与"汤若望"相同，别人会认定他是基督徒，他解释说是来自《孟子》"若大旱之望云霓"。

四

抗战胜利后，"老宝凤"生意很好，沪西一带的工厂女工，拿到工资就来我家买金器保值，买小金条（时称"小黄鱼"，重一两，"大黄鱼"十两）、各式戒指。忙到来不及在戒指内贴注有分量的小红纸，店里常加班开夜工，每日售出三百两黄金，赚了不少钱。

在全店员工忙上忙下之时，我的大弟突患"粟粒性肺结核"，这病在当年没有特效药，于一九四七年二月在家中去世。接着是大哥患肺病大吐血，去虹桥疗养院（即今徐汇区中心医院）住单间头等病房疗养，阿嫂陪他，后住钜鹿路（今巨鹿路）大华医院。我父亲觉得，住院即长期疗养，价格昂贵，不如自家买一幢房子。开初他是和伙计阿王去看房，之后是我陪着他（后来陪他多次买家具，买我喜欢的书橱、摇椅，父亲从不上餐馆，也只有我和他在"美新"吃过一次晚餐），看过虹桥路一幢有空地的大洋房，淮海西路满墙蔷薇的别墅，以及富民路的"裕华新村"，最后花费近五十根大条子（金条），买下了亚尔培路（今陕西南路）63弄某号（三连体别墅）。此处交通方便，24路无轨电车可直达西康路"大自鸣钟"。

此屋面积近五百平米，原业主是鼎新百货商店老板，底楼为厨房、汽车间和佣人房，朝南是围有竹篱的小院子，大门有一石扶梯直达二层，朝南是左右两大间（有纱质大吊灯、壁炉和水汀），中为走廊、盥洗室。朝北的房间大小各一，大间隔有活动门，拉开门，南北房间相通，可作大饭厅兼客厅，有升降设备，楼下厨房可送饭到二楼壁龛（后用来置放电话）。三楼布局与二楼相近，有阳台，有大浴缸。稍事装修一下，大哥就搬来三楼疗养。

记得尚未入住的初夏，葛智华生日，我请维德、

上左　下右　有石梯的两张，是在亚尔培路新居，抱着大哥的孩子正庭。

上右　下左　襄阳公园，1945 年。

申怀琪、赵南山、邵鸿英等同学好友来新居，那次大家都喝了酒，热闹一阵，一直讲话到天亮。维德醉了睡在后客厅地板上，大家则在他四周放了酒瓶，他醒来一惊——众人开怀大笑。此后，我们常常在这里聚首。

那时我常去虹桥疗养院的高级病房，探望大哥，他独住一大间，底楼住七八位贫穷的青年患者，我很同情他们，有时给他们送鸡蛋和营养品，其中一位叫秦中俊，是淮海路雁荡路三联书店店员，我常去此店买书，经人介绍认识了，之后秦曾到亚尔培路我家闲谈。秦说，我是小说《钢铁是怎样炼成的》里那个富有的姑娘。以后书店奉当局命令停办，他偕同仁来我家开过秘密会议。一九四八年，秦去了济南解放区。（1980年代任中图进出口公司经理，法文好，比我小一岁，来沪特意来我家看望，相互通信，可惜英年早逝。）

复旦渝沪二校合并到江湾原址后，起先把女生宿舍安排在面对操场的一幢大楼，房间很大，可以摆十几张床，以后大楼改作教室，女生宿舍再度搬到后面一幢楼，男生宿舍迁到了校外。之后，复旦改为"国立"，不需学费，甚至吃饭也不需饭钱。食堂每餐只有一个菜，每月打一次"牙祭"，有十几个菜，大家站着，围着圆桌吃。学校还送一批美军救济总署的多余物资给重庆同学。因为物价飞涨，米价也跟着飞涨，唯恐伙房粮食有贪，校方让同学们轮流去"监厨"——这是一九四七年的事。

我的宿舍住八人，四张上下铺，中间放自带的写字桌，我睡靠窗上铺，除我和虞和静是上海人以外，其他六位是重庆来沪的女同学。记得宿舍一件趣事，有一天半夜，我突然连人带被子从上铺滚了下来，落在地上，竟然毫发无损，惊醒了睡梦中的大家，引为笑谈。

复旦礼堂以前在子彬院，地方小，当时郭沫若来讲演，周小燕来唱歌，都是在子彬院礼堂，同学挤得满满的，有些人只能坐在窗台上。一九四八年，校园内造了一座大礼堂，名"登辉堂"（纪念复旦老校长李登辉），做过考试会场，改名"相辉堂"是以后的事（马相伯为创办者）。中文系主任是陈子展，很和善。教授有李青崖、方令儒、周予同、周谷城、赵景深先生等，侧重《昭明文选》、音韵学、训诂学、哲学和中国文学史。上课不点名，学生缺席与否，教授们也不在乎，学生只要考试及格，修满学分就可毕业。教授与学生有些距离，亲近随和的是章靳以先生，他讲"文学论"，态度和蔼耐心，我经常请教他。我的兴趣一直在现代文学，也感觉大学不如高中那么快乐，

SCHOOL
EXERGISE BOOK

WRITTEN BY

姚　　雲 (三)

日記　十二月二十四起至

三十四年一月二十立日止.

44.12.14.—2.45.

谈得来的同学也没高中那么多，一度想转新闻系，考虑再三，觉得转系麻烦，思想上有些得过且过，有闲就坐校车回家。

以后因家中变故，心情低落，此时常与维德会面。一九四六年夏季以后，我和维德的恋情心照不宣，一九四八年完全确定，谈起恋爱。书还在读，"学运"也算积极参加，但在校时间却没以前那么多了。记得同学王丹心曾鼓动我参加共产党，我认为不自由，没有表态。

到老年时，我曾对虞和静说，我在复旦时一事无成。她说："你找到了一个好老公，是你的一大收获。"（虞一九四六年时就认识维德。）

一九四七年春假，我和维德一起去无锡，游惠山，玩了两天，照了不少相。我爱的人和他爱的人在一起，觉得幸福、欣喜。

天近黄昏，我们回到旅店，晚餐丰盛，房间是很小的顶楼，两张单人床，上有天窗。我们爬到窗外屋顶上，坐在瓦片上向四周眺望，灯光暗淡，空气清新，传来河上的橹声，别有一番风光。维德说吴江黎里镇河岸边，景色比此地更美，太浦河也宽大得多。而我在上海长大，觉得眼前夜景是第一次见到，应该是最美的。

游鼋头渚这天，我带着相机，穿紫红色的开衫、薄呢旗袍、白色长裤，另带了一套淡灰西装裙、白丝围巾和手套。紫红皮包是新近在永安公司买的。天晴，气候温暖，见到了辽阔的太湖，请"代客摄影"者为我俩合影。

当时维德已经离开《时事新报》（同事集体辞职，他只能辞职），有三个月左右没有职业。他怎么过，我想他总会有办法，我没有问，问他也不会说。他告诉我，将去一轮船公司任职，上海、福州两地来回。（后知是王绍鏊介绍。王是吴江同里人，与程同属党的情报系统，解放后以民主党派面貌出现，任商业部副部长，一九七〇年含冤去世，十一年后才公布共产党员的身份。）

我心里总牵挂着他，相互通信，每次他回沪也立刻给我电话。

这几年，包括朱维基先生在沪时，我和维德一直在平安大戏院附近的"吉士"小咖啡馆会面，通常是喝咖啡，吃过一两次西餐，咖啡馆老板已认识我和他这两张熟面孔。"平安"右边的茶室很大，从电影院大玻璃窗看进去，热闹非凡，里面都是谈生意的人。记得有一次，我们走进成都路福熙路"浦东大楼"对面一个咖啡馆，里面极暗，没一点灯光，摆有一排排高背封闭式的双人座，我们只能跑出来，最喜欢的仍

游惠山。我爱的人和他爱的人在一起，幸福欣喜。1947 年。

上丨中　去苏州看他租的新宅。这是一段阳光明媚的回忆。他自称程维德，我一直称他"维德"，通信称呼写"V.D."。

下　这件扶手沙发椅，在"文革"时被抄走。

然是"吉士"咖啡馆明亮幽静、没几张座位的环境。我和他一直怀念这地方，几年后虽不去了，路过时总要看它几眼。

维德到昌兴轮船公司任职，常去厦门、福州，回沪都带礼物给我，很多物品已经记不得了，印象最深的是两双缀有五颜六色珠子的拖鞋，我送了一双给阿嫂，大家都感到新奇。但他仅做了七个月就失业了。我虽问过他在沪为党做什么工作，一次他说，是做空军"策反"工作。他的职业一直不稳定，时而在沪，时而在外，用钱出手大方，一段时间住他二姐蕴玉位于公平路的亭子间，我曾去看过他。那次他说要去台湾，我不置可否，后来没去。对于经济、生活，对于吃饭问题，我从没想过要为他操心，总认为他有办法。我是一名学生，没有社会关系可以帮他，家里开银楼确实可以安置，但我不愿让家人看低他，他当然也不会愿意。

多年后得知，维德由情报系统的吴成方领导，出狱后，转由刘人寿领导，情况不太一样，后者总认为他活动力强，给他造成了不少的困难。

以下是维德在一九四七年给友人的一封信，当时萧心正见了喜欢，抄了下来（一直保留到"文革"后才交还我们）。维德回忆说，这信当时是写给谁，有没有写完，有没有寄出，已完全忘记了。当年信中提及的人名，萧抄写时只留空格，故不明是谁了。五十年之后重读此信，若非萧说明经过，他根本不认识这是自己所写，但对猛烈批评沈从文这一点，维德记忆犹新。

[维德旧信]

　　□□很好，几个有限的老朋友，仍旧拖了一身毛病，活在这古老的土地上。所谓一身毛病，也无非是人生年龄的增加中起些变化，好像同样一条小青虫，有的变成花蝴蝶，有的变成黑色、花白的或甚至非常丑恶的种种颜色——写这信的时候，我的情感跟随着手指的颤动而扬起波澜，我不懂得为什么最近自己的内心常常有一种类乎愤懑和厌恶的波浪击撞着，一浪去了，又一浪来了，它们在我心房的岩石下，捡着石缝空隙打进去，于是只要小小的几尺水，就能发出轰然大响，岩石上的泥土果然洗涮掉了，青苔和海藻也打得不知去向，可是岩石却呈现着黑色。正如你看见一件古兵器一样的色彩，使人一望就感到阴郁得难受——那么我阴郁吗？也并不如此，即使多少存留一点，也是为了阴郁（原文如此）而来的。

　　我愤懑什么？这些情感作用也很难在简单的

书信上表达，总之一句话就是，我看不惯各人抱着自己现在的环境而把一切看得美丽或是都看得丑恶。人类有一种擅长的本领，就是"擅忘"和"擅醉"，吃得饱一些的人，他们行为和思想都同饥饿的人有显明的差别，所以，在文学上，某一个时代，某一个阶层，一定有他们自己欣赏的范围和代表的作品，这些都是起变化的，假如他们从某一种人跳到另一等人的话，他们的行动和思想以至对艺术的看法，或生活的意义，立刻有了明显的差别。以写文章的人来说，则莫如沈从文之流变得下流而可怜，当他混在穷人堆里的时候，他的文章还有些火药气，可是后来他有了洋房，混在一群没有背脊骨的教授们中，他竟把描写女性来消遣笔信，甚至用了他的脑汁大肆描写女人的生殖器，细腻之至。从这件事上看沈从文依然姓沈，写文章依然写文章，似乎没有变，可是他的文章内容变了，人无耻了——为了什么，因为他发挥了人类的"擅忘"和"擅醉"的长处，压根儿忘记了他过去是一个什么人，是这一个缘故，他把自己醉在洋房和沙发中，似乎洋房和沙发命令他要沉醉一样，这是非常自然的。知识分子，只要稍有些聪明的人，立刻懂得这个，古人称之为及时行乐，今人称之为利用环境。如此而已，可是我觉得非常难受。

十年来我看清了自己的能力和性格，我的能力非常低，可是我的性格和骨头还是没有因为颠沛而丧尽，我对自己常常是不满意的，正如对人家也不怎么满意，这是老实话。我常想，难道我活下来就这么想求得一个安安稳稳荫蔽之地，找一个老婆弄个儿子，于是每天吃饭，到老叹出最后一口气、死掉……难道这就是我的生活么？老朋友，但愿我们有限的几个人都不要活得像这样可怜。

我们的学问、经济状况和办事能力是可怜的，但是我们的脑子和向往至少不能可怜。人性，人性，我是倔强到底的，虽然我自己压在生活的重轭下，受着鞭笞和嘲弄，我也确如老牛一样忍受着，但是我的脑子和行为上，绝对没有变得失去弹性，或变为平平稳稳的生活愿望。实在讲，在这个天地中，你要平平稳稳做事情，你要舒舒服服把自己幻想的种子结成花朵是不可能的。

人比作是老姜，也要有辣味，人比作是酒，也要有酒性。否则，所谓老姜和酒又是什么东西了呢。

我变得很厉害，连对仅有的朋友××和××也各有不等的态度上的变化，我只有慨叹自己失掉的意志和他们的童心。不过仅有童心是不够的，这里我所指的童心者，仅是当初兰墩打游击时的各人的神采。总之，生活确是受些影响，在一些朋友中以我的生活最不安定是事实——我并不嫉妒他们，但愿他们能生活得好，我只要把我的个性保护得很好。如果我的武器是长矛的刺，那么刺呵，你就更尖锐和锋利些，如果我的个性是老姜，那么你更辣些，姜辣之至老弥烈。人就要如此，也需注意的就是刺得方向正，辣得味道不酸就是了。

我的老朋友，我永远永远不能忘记你是我朋友中值得记忆的一个。可是生活的重轭，生活的锉刀，生活的暴风疾雨，生活的丑相和臭味，把你的颈项、肩背、眼睛和鼻子耳朵完全给弄毁了、打碎了。你在黝暗的地层下或是煤层下，爬着，爬着，哪里是花？哪里是清流？哪里有挺着背脊行走的人，哪里有温醇的酒一般的笑声呵？假如你找不到的话，那么你捧一握岩洞中掉下来的水按在额上清凉一下，你就会知道——等挖煤的时间过去后，你从几十丈的升降机上爬出煤洞的时候，太阳，花朵，和一切你看了会大笑的景物，在向你哄然爆出笑声来。老朋友，你的信条，在地下永远没有的，只有在阳光照得到的地方才存在，多着呢，多着呢！我就知道，而且看见过。

你存在着的，是知识分子的毛病，我们大家都害病，只要大家没有失掉人性，总可以治愈的。人可以谦虚，但是不要自卑，人不可以狂妄，但不需畏缩，我就如此。所以，虽然我一无成就，我也不肯马上掉手。我不愿意在求得一个温饱的机会中丢掉我具有的活力，请你相信我，我们心胸中的愤懑和厌恶，正可以激起我们强硕的正义感。

　　你同×通信吧，他是一个太温醇的人，我时常责备他的温情的作风，他很少能把自己的感受，化作暴风巨涛扫荡出巨声来。我对他这个性很抱憾，因为我满身火辣气和强烈的爱憎是不能强加到他身上去的。也许他以为我稚弱，但是我宁可稚弱，我始终要这样的，谁也不能劝慰。我这有什么办法呢。我们这一群苦难永远追踵着的人，我只要你安安稳稳的境遇下，让活力、弹性以及胸中的火种一起重新跳动和燃烧。你还没有把掩护的旗举起来，那么举起来。年轻的，我们是年轻的，我们会幸福，会有一天驾驶着一条小白帆船在碧玉色的海中飞扬歌唱。

　　一九四八年五月，维德去看望苏州老友郑巴奋。一九四三年他在日伪杭州监狱关押，郑不时与他通信，资助和关心他，他们建立了友谊。郑给他的一封信上曾这么写："你们像一盏明亮的灯把我前面的路照亮了，我将以一颗洁白的善良的心，诚挚地接受你们给我对于人类的爱……"可以说是患难之交。此时郑在《苏报》当记者，关系很多，认识的人多，介绍他就任苏州税务局分处主任一职。

一次去苏州，我和维德、郑三人坐在沈志痕（国民党县政府秘书）的汽艇上，甲板上有几个卫兵守护，沿苏州外圈各城门的河道游览，欣赏湖光山色。经过一个城门边时，我们惊讶地发现，城门上方挂着一个木笼，内有一个人头。沈说，这是一个共产党游击队员，我们抓住后砍头示众的。这情景令我心惊肉跳，毛骨悚然，不忍直视！

沈志痕是郑的朋友，文绉绉的，高高的个子，书法很好，他妻子也姓姚。沈对我的印象很好，到上海还来过亚尔培路的家里做客，他给我写过信。（解放后"肃反"，沈被"镇压"。）

父母对我找对象的事，一直很着急。我虚龄十六七岁时，就有人就做媒介绍，我都拒绝了，此时我已虚龄二十二岁。有一天，我把维德二十三岁时一张照片给我母亲看，说他姓金。母亲端详了一会开玩笑说，他长相不错，脸架子有点像"黄金瓜"（一种椭圆形甜瓜）。母亲说，几时带他来，让我和阿爸看看。

记得是九月下旬，维德托人从苏州送来两大蒲包的大闸蟹，令家人大为惊愕："怎么这么多，一下子怎么吃得了？时间放长了都要瘦了！"我父亲每天中、晚两餐都喝绍兴酒，这次足足买了十瓮（这些酒多年后打开，酒香横溢，往往浓缩成了半瓮），准备请这位未来女婿同饮。

还记得维德第一次来我家的样子，他与父母谈笑风生，赢得全家的好感和认可。

我俩在金门大戏院买了八张《清宫秘史》电影票，共三百二十元，次日请父母等家人观看。也记得那天，我们顺路走进了一家西式古董店，维德买了一个木雕旧果盘（内嵌八音钟），给我买了一个皮夹。他喜欢"淘"旧货，曾经在中央商场等地买来英式蓝花瓷盆、白瓷大茶壶、糖缸、日式套盒，以及宣德炉和一对日本旧画——直接画在留有白桦皮的木段上。

有一次，维德来信说，在苏州买了一张红木旧床，四把雕花法式沙发椅（其中两把有扶手），一个法式长沙发，一张柚木圆桌，另一张是桌围和四腿透雕梅花的大圆桌，这些家具都请店家翻新。双人长沙发椅新做了深蓝色丝绒面，配本白镂空花朵的沙发椅套，并称已经借了房子，打理后运去了家具。另告诉我，他母亲在黎里镇的老宅，腾出了楼上房间，也买了三件沙发请船家运去了，我们婚后也可以去那里住。

这些旧家具中，几件单人沙发属于稀有样式，我们婚后一直使用。记得我女儿幼时，晚饭后常常蜷缩在这椅子上睡去，它们都在"文革"中消失，只在照片中永远留了下来。

五

一九四七春天，复旦的进步社团有了很大发展。五月份在"争取民主"的口号下，开始了"学生自治会"的竞选，通过各系推荐商讨，正式提名十七位候选人，组成"五院联合竞选团"，都是各系品学兼优的学生，我系李自昆[1]为其中之一。国民党三青团一批学生，也成立了"不谈政治竞选团"，斗争激烈。

"五院联合竞选团"开展大量的宣传工作，并请校外一位画家，把竞选同学的人像画在大黑板上，各人占一面，有黑板的五分之三大，下方写简单介绍，然后把黑板醒目地摆在学校门口，谁都看得到，在校园里装了几个广播大喇叭，反复宣传竞选人，播放有

1　同系同宿舍的好友，我和她无话不谈。她在重庆经新闻系张廉云（张自忠之女）介绍入党，1948年夏毕业后与张廉云去北平，在乡村学校教书，解放后在北京师范大学任教。1980年代重逢赠句："想起当年事，相约永相知，刹那风云变，你我各东西，如今鬓已白，想念难相见。"

关歌曲，做了细致的个别联系和动员。

"不讲政治竞选团"担心自身宣传力量不足，因此到处请客、吃饭、送衣料、许愿"下学期可以完全享受公费"等。在将近投票前，"不讲政治竞选团"忽然在101教室训导处前，贴了一张大字报，说"五院竞选团"的竞选人之一袁永宝，有政治背景，是"共产党李先念部队"的政治部主任云云。

在五月十二、十三两日，全校三千多名同学百分之七十参加了投票，气氛紧张热烈。为防止作弊，双方言定：投票者必须具名。投票箱很大，双方及校方各有开箱钥匙，两边又都怕出意外，日夜守在箱子旁，甚至睡在箱子上。

那时我住在第二宿舍B7，我们八个同学，包括虞和静等人都衷心拥护"五竞"，希望能取得最后的胜利。宣传十七个候选人的十七块大黑板，都是我们八人在天黑后搬进宿舍，第二天一早又搬回原处，连续数天。

投票结束的次日，五月十五日就要唱票、开票。我们兴奋又紧张，为能早一点进会场占位子，那天一早四点钟，天未亮，虞和静就把我推醒了，我们立即起床，其他同学也都醒来，到其他房间叫醒同学鲍静佩、颜焕珍等，我们拿了一大叠报纸向"子彬院"101

会场走去，发现大门紧锁，于是搬来长凳，我和鲍静佩首先从会场窗口爬进去，其他人也陆续爬进来，把一张张报纸放在每个椅子上占座位，一直忙到天明，我们都坐在座位上等候。近八点时，工友开启了大门，走进会场一看都惊呆了，全场八百个座位几乎都被人和报纸占满了。

唱票分三个组同时进行，接近中午，很多同学都在会场内吃点心、面包等充饥，不离现场。双方的票数在开初不相上下，势均力敌，下午两三点钟，"五竞"的票数开始不断上升，再过两小时，"五竞"完全占优势，我们的心都放了下来，高兴极了。天将黑时，会场突然骚动起来，场外涌进来大批"三青团"成员，霎时塞满了走道和每个窗槛，他们大声高喊，干扰唱票。"五竞"骨干就把校长章益、教联主席张志让先生请了来，请他们压阵，请他们讲话，强调学生会是民主选举，应维护民主，总算顺利进行到了最后，开票结果是："五竞"胜利了。

一九四八年这一年，物价飞涨，蒋经国来沪"打老虎"，规定黄金、白银、美元必须兑换为金圆券，银楼业经手的就是黄金白银，因此引发全上海银楼关门停业。父亲也关了店，非常忧虑，为日后生计，打算改营绸布店，通过新泰绸布店的关系（我阿嫂的长兄），购进了一批布匹，却也因沪西"大自鸣钟"周围本有恒大、宝大、西陆正大三家绸布店，恐有不利，在举棋不定和无奈中，父亲忧心如焚，突发心脏病，家庭医生黄钟急来治疗，建议父母暂去亚尔培路新屋休养几天。我记得这天是十一月十七日早晨，父亲自觉好转，打算回"大自鸣钟"的家。当时他从三楼下来，经过我房门，听到他的脚步声，我躺在床上看《虾球传》，大声说："阿爸，我不出来送你了！"到了下午四点，我正在温习功课，母亲来电话说："阿爸不好了！赶紧过来！"我坐上三轮车急匆匆前去，到家里二楼，见父亲躺在沙发上，人已故去。

母亲说，父亲午睡醒来，坐在沙发上说，他觉得气闷，不舒服，要一张凳子给他搁脚，再没有说什么话，就过世了。那年他六十五周岁，母亲五十岁，我二十一岁。我一直握着他的手，整整一夜守在他身边，悔恨自己没有开房门，没有见到他生前最后一面。

维德得知我父亲去世的消息，赶来上海，在父亲遗体前下跪磕头。丧事期间，税务局人员到我家放话，索要巨额遗产税，母亲和大哥难以应付，多亏维德出面交涉，接连洽谈了几次，最后得到妥善解决。父亲入葬虹桥公墓的事，也由维德操办，家人非常满意，母亲和兄嫂从此都称呼维德为"老金"，子侄一直称

右：中華民國三十八年七月（1949 年 7 月 15 日）
左：中華民國三十八年一月（1949 年 1 月）

國立復旦大學在校證明書

學生姚雲係浙江省慈谿縣人現年二十二歲本學期在本校文學院中國文學系四年級第壹學期

茲因証明學籍特為證明此致

中華民國三十八年一月　　日

校長　華羅

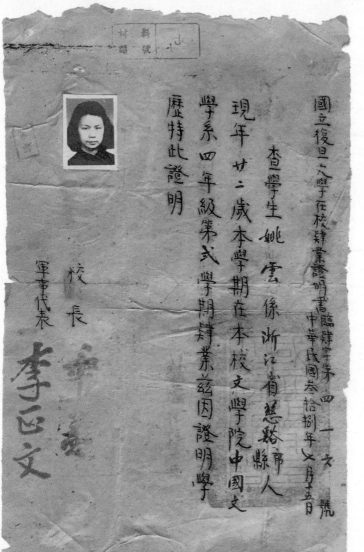

（解放军攻占上海时间：1949年5月27日）

两件证明开具的日期，显现了政权交替的某个瞬间，同样用章（国立复旦大學关防）、同样填表的字迹，右件的字貌，油印手刻的款式、纸样，以及『军事代表』『查』『临』等文字元素，饱含了时代震荡的质感，具有更复杂的表情。

他"金伯伯",对他尊重有加。

父亲故世后,我家就不再住亚尔培路了。这期间发生了一个小插曲:

[日记: 1949年1月9日]

今是某某结婚,很晚才起来,下午到亚尔培路梳妆。从"新新"出来,走了一大段路,高跟鞋也不难行,人更高了,觉得很不错,几时一定再去买一双。婚礼再俗气也没有,冷清清没一点热闹的气氛,新娘低着头,给人拖来拖去,为什么不大方一些。如果再这样下去,真要把自己闷死了。散后大家来我家,互相开玩笑,讲零碎事,国家大事。寒假接着要来了。

突然想到,我为什么现在才想到,可以办一个义务学校?

大家草草商量起来。我家草鞋浜的房子可以利用,教师没有问题,经费哪里来?还要去教育局登记。

明天请徐来问问。

[日记: 1949年1月10日]

晚饭后,南山与徐来。徐说,还是办正式小学。如果可以办,这就是我未来的事业?徐讲了教育界的事,校长怎样克扣薪水。我们办小学,可以收半费，或者做晚上的义校，成人的教育。对啊，可以这么办，经费，我有五两金子，准备试问妈妈看看。只是觉得徐有点市俗，不大可以信托。我们要提防他，然而也不放弃他。

[日记：1949 年 1 月 11 日]

昨晚太兴奋，睡不好。下午上了英文回家。晚上申、赵来，一起去草鞋浜看了房子，天晚看不仔细，面积很大，可以上课，地段是四通八达的，可惜妈今天太忙，没有机会与她说。

赵很起劲，说他表弟是乡下小学的校长，可帮助我们的地方极多。

可以一面办登记，一面开始招生，把房子粉刷一下，下星期就可以去办公？昨还想去"建承"问老戴，比如招生广告和报名等等，要做马上就做。最起劲的，是我和南山两人。很晚了南山还来电话，他是这样的兴奋。

[日记：1949 年 1 月 13 日]

下午好闷，办学校事情可以说有了头绪，妈一万分的反对，我怎么办？

[日记：1949 年 1 月 16 日]

早上看书。心里好闷。有人来，是附近的校长。黄昏王丹心来，谈出一点眉目，但经费怎么办？

[日记:1949年1月17日]

徐来电话,说预算肯定成功,他可以做会计主任。我实在不敢相信他。但不信他,信王的朋友吗?

[日记:1949年1月20日]

办学校的事简直有点气馁。我的确有点消沉。决定不靠徐,我们自己来,应该有办法的。

[日记:1949年1月21日]

我又快乐起来了。这一星期什么也没做,真是很浪费,昏了头,一定要等王,但他们又非得下星期来。准备请葛去找泥水匠,南山买课桌,明晚大家来写招生广告,下星期一开始招生是再好也没有了,这事不能再松懈了。我觉得我们有希望,一定会成功。

[日记:1949年1月22日]

昨天还寄他一信,想不到今天V.D.来了,是为办学校的事而来,说钱是一点没问题的,最大的问题是人事问题,把事情都托给别人做,这样在工作中就失去了意义,徒有虚名。这盆冷水浇得我好失望。他的话是对的,我没有真正知心、亲心的朋友?

我和维德的关系,在这年日记中曾有这样的话:

迎接新的一年,与V.D.在一起是快乐的,似乎永远不能使我满足（总是离离聚聚）。但我肯定，无论现在和将来，我俩的日子会比任何朋友过得美满、幸福快乐。他也说，追忆的日子是美好的，将来会更美好。

当时维德已经三十岁了，他这么大年龄还没结婚，在过去是稀见的。

一九四九年三月十九日，一场大风大雨之后，我在维德不知的情况下，去苏州看他租的新宅。天色已晚，我对门房说找金先生（他化名金子翊），对方说没有此人。难道是地址弄错了？我转身，茫然不知所措，忽然听到有人叫我——是维德，他的房间离大门不远，听到我的声音立刻跑了出来。我非常高兴，这是一段阳光明媚的回忆。

这个阶段，我在复旦读四年级下，形势动荡，上课很不正常，有时只因为老师请假，学生只能回来。到了四月初，国民党军队开进了复旦，责令学校紧急疏散，强制师生们当天三时必须撤离学校。我是事后才得到这消息，请申怀琪陪我到校，想把铺盖搬回家，谁知校内已看不到人，宿舍一片狼藉，我的两条被子、床单、垫褥和枕头不翼而飞，匆忙中只能把散落一地的衣架和虞和静留下的小书桌搬回来，这就是我迟去

上左　上右　为李自昆送行时复旦同学合影，1948年夏。

下左　同学张家姐妹家，延安西路一大宅内，1948年除夕。

下右　重逢，1948年。左申怀琪，刚从河北返沪，右赵南山，毕业后曾去新四军根据地，此时二人突然返沪，我喜出望外。

摄于大来照相馆，粉底白圈的旗袍。

一步的结果。

到四月二十日，传说解放军已渡过长江，此时的上海，每到晚上十时就实行"戒严"了。

我很惦念在苏州的维德，知道萧心正、倪子朴常和他相聚。但是电话已经打不通。直到四月二十四日，为迎接上海解放，他从苏州辞职回到上海，在我家暂住，母亲兄嫂很欢迎他，一张席梦思沙发，抽出下面一层钢丝床，铺上被子就可以睡。

这段时间我俩发生了小争执，我希望他能写作，成为一个作家。他却总是讲一些大道理，也显得烦躁不安。在五月十九日一次谈话中，他说自己虽然爱好文学（这是我俩相同的爱好和话题），但不会成为作家的，写作不是他唯一的爱好，他对社会更有兴趣。我似乎恍然明白了什么，但他究竟为"社会"干些什么？没有深究，只知道他经历的这些年，一直很不安定，但是他从不讲个中内情，究竟从事什么秘密之事，我仍然没有过问。

随后是五月了。我和维德迎来了上海的解放。

［日记：1949 年 5 月 25 日］

　　炮声响了一夜，天还没有大亮，就被唤醒起来，窗外、店门前都坐满了士兵。家人七嘴八舌说是国民党的败兵，心里挺紧张，倒是妈看出来，他们的军帽和军服不同，颜色也不同。正说着，楼下敲门，妈下去开，我们在门旁，知道是人民解放军，真有这样的事吗？

我的心欢喜得呆了，是感动，引起无数思绪，终于到了这么一天了。

[日记：1949年5月30日]

今天送V.D.去苏州，火车站是从未有的拥挤，看他挤进售票处，我就回去了。回来后感到空虚，他走了更增加这样的气氛。

在这万众欢腾的日子里，我欢欣鼓舞，也若即若离，总是心神不定。我不合群，没有全心全意投入学生运动，自以为是"左倾"进步学生，可家里生活富裕。正在谈恋爱，他的生活又如此不安定……大学不比高中，是宽广的天地，但我却有无所适从之感，我没有迈向群体，最使我悔恨的是，以前有人让我扮演《雷雨》中的繁漪，被我婉拒，参加学校活动太少了，读书不专心，热衷自己的小天地（虽身陷小天地中，然而并不真正快乐，苦闷不断，心中常常忐忑），陷入恋爱的深渊中而无法自拔。大学很自由，愿意住就住，不住就回家，走读有校车，只要读满学分，没人管你。从小到大，父母其实并不管我读书成

左　好友李自昆。

右　背文："□看这张相片，看多了，你会记不得我是怎样笑着，或是怎样凝神听你低低的谈话。"

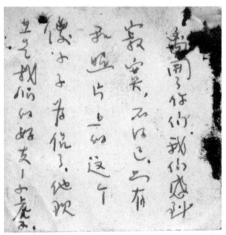

上　好友李自昆（图左者）、张廉云。

下　背文："离开了你们，我们感到寂寞，不得已只有和照片上的这个傻小子为侣了，
他现在是我们的好友——小虎子。"

绩好坏，我的学分没有读完，还须继续——但这次我下定了决心，不再继续读下去了，文凭也不要了。我准备去哪儿呢？

此时，唐凌生回到了上海，申怀琪通知我们见面。唐是某部队文工团指导员，驻扎在今延安西路一幢洋房里，他的宿舍即办公室。我们见面前，申事先已经告诉他，说我有了对象。唐对我旧情不忘，本意是要我加入文工团。我和唐在路上边走边谈，谈双方别后的经历。他没有对象，没忘记我。我当然也只能和他到此为止。

蒋锡金、朱维基先生在京参加第一次文代会后回到上海，朱送我一张照片，蒋写了一信，推荐我去《解放日报》找恽逸群，我没去。申怀琪和上海戏剧学校同学王××、吕宁参加上海总工会文工团，让我六月去总工会填了表，我到蓬莱路会部去了一天，见这些人吵吵闹闹的，我有些难受，感觉待不下去，第二天就再不去了。

此时我已决定不再继续复旦的学业，到校开了肄业证书，遇到本系低一级同学陈魁荣（后改名陈华），他递来一张"新民主主义青年团"（校内第一次公开成立的）入团申请书，让我填了表。他说："希望你继续读书，做团的工作，以后转党。"不久，我看到报上的广告：号召青年学生参加"南下服务团"，报考"青年干部训练班"，结业后可去各机关工作。我报考"北平新华社干部训练班"，同时也报了华东军事政治大学的"短期训练班"（接受大专学历以上者），学时四个月。以往因我没有离沪，影响了投身革命的热情，这次要下决心改造思想，适应形势，就要离开上海，离开维德。今后会怎么样，一时难以考虑。但我心里有他，相信以后我们总会在一起的。维德没有反对。等到军大短训班的成绩揭晓，我被录取了。

六

全体学员坐闷罐车开行一个晚上，于次日晨到达南京，改坐卡车前往学校所在地，人们敲锣打鼓欢迎大家到来。第二天看报纸，发现"北平新华社干部训练班"公布的录取名单中也有我的名字，就向班干部提出离校的请求，身边有两人也和我同样情况，结果我们都未获校方同意，只能留下了。

短训班由华东军事政治大学政治部直属，所在地在中山门城墙旁的半山园，走过荒芜的原中央博物院，就见到原国民党政府盐务局旧址。这里有一大批房子，政治部机关也设在此，规模很大，校本部在黄埔路，规模更大。学员住原盐务局一幢二层楼房，楼上打地铺，楼下是学习室，每个人发一个小凳子，听报告、讨论都坐这小凳。全体一共五个中队，四个中队都是男生，五中队是男女混合，每个中队分为八至九个班，我们女生从 6 到 9 班，男生是 1 到 5 班，每班约十至十二人，男生多于女生。每三个班设两名区队长，都是政治部委任的党员干部。

开班不久，数千名学员集合在校本部大操场，举行开学典礼，听陈毅校长"为人民服务"的报告，他嗓音洪亮，如叙家常。记得他做了一个比喻：你们要像关公一样，过五关斩六将，临近现在，是参加革命，是过第一关……给我留下深刻的印象。

第二次去校本部，是中华人民共和国成立日，整个上午开大会，下午到晚上，参加市里的庆祝大游行。

每个学员穿军装打绑腿，填写"入伍志愿书"。全班学习的课目是"社会发展史"、"从猿到人"，最后阶段是"思想改造"。各班选有班长，负责抓班内生活，学习班长主持每天的学习和每星期一次的"批评与自我批评"会，改造思想，批判小资产阶级思想，树立无产阶级思想。我压制自己的脾气和"尊严"，接受了他人的批评，检查自己的思想作风，当然同时也批评别人，大家都很认真。

我被选为班长，后来当学习班长，每天收取班内的学习讨论情况，向中队汇报，班里配有"互助组"，区队长轮流过来参加。这里继承了"抗大"的传统校风，即"团结紧张，严肃活泼"。时常唱《国际歌》、校歌。每日发津贴二至四元，小卖部有牙刷牙膏，包括花生米出售。

每天的出操和饭前，都要集合，早操学习检阅的正步。每餐饭菜，由值日生到食堂装入大盆里，再给大家分食，完全是部队的生活。一九五〇年元旦，也留给我甚是惊骇的印象，我们正在早操，为改善伙食，在这天清早食堂杀猪，为了免遭受杀身之祸，猪不断地奔逃，它们的叫声凄惨高亢，打开了我的眼界，也让我感到极为不安。

班里同学都有各自的经历，比较芜杂，年龄大的竟然是四十岁，也有三十岁的。有当过银行襄理的、结过婚的、生有子女的、原一直当教师的，也有毕业于圣约翰大学的，工作几年的技术员，以及工程师，早年到延安再被派去香港做情报工作、与组织失去联系的夫妇，等等。校方虽要求学员的学历是大专以上，但个别高中生也收了。

就读于南京华东军事政治大学，1949 年 9 月。

星期日放假，我去新街口玩、拍照，坐的是马车，也去白下路看过二姨母。这年十一月十二日，班里同学去中山陵，遇到了宋庆龄，而我在这天却去了玄武湖。后来又有了新规定，两人以上出门都要排队，不可在路上喧哗嬉笑，军人要有军人的样子。

一直参加集体活动，去农村访问、到中华门外修机场、排演活报剧，在中山陵音乐台开团员合唱大会。冬天是集体列队去南京一家浴室洗澡。

刚来不久，校里发生了两件事。我所在的五中队，有两个男同学和一个叫邹佩英的女同学，三人相约离校出逃，引起了轰动。同学们到处打听他们的消息，后得知这三人被班部派人追回了，其中的白姓男同学，因有"严重的历史问题"，听说在"肃反"时被枪决。另一件事是，其他中队一男同学的爱人来校探望，队部把她安排在单独的宿舍里，居然有另一男同学悄悄爬窗进去，最后被发现，结果逃掉了。为了抓住这个同学，大家好几个晚上都轮流值班，躲藏在暗处，等候他再出现，结果却没等到，不了了之。

在"思想改造学习"的最后阶段，学校进行了大规模的"诉苦大会"，鼓励大家"吐苦水"，说出在反动派统治时如何受到迫害和奴役，有的女同学甚至把隐私都坦白出来……这样的活动，是为了说明一个道理：只有在共产党毛主席领导下，我们才有挺起腰板做人的日子。学员都非常认真，在这最后的学习阶段，希望向党透露心声，把这看作对党的忠诚。

关于女同学交代隐私事，一九九〇年某同学来沪聚会，谈起时还有不满——当时就是鼓励大家讲嘛，都是革命同志，应该畅所欲言，什么都可以说、都应该说，每人要发言，过程都有记录，并允许同学提出疑问，发言人必须回答，因此有些女同学，甚至说出了个人情感纠葛、隐私等等最具体的细节，并被一一记录在案。某同学一次经过办公室，发现两个干部在查看这些记录，竟然边看边嬉笑、讥讽。

来南京以后，我很少给维德写信，也很少给家里去信，却很想念他们。

维德来南京看过我两次，一次是十一月初，我刚到学校不久，他突然从上海赶来，走进盐务局宿舍我班的所在地，请人找到了我。然后一起去他住的秦淮河旅社。记得那天我脱了军装，穿一件红毛衣，和他到市里逛了一个下午。第二次，大约是一九五〇年初，正好是个假日，我去白下路他所在旅社。他坐的夜车，凌晨三时才到，正在休息。我去旅社楼下接待处询问，店方回说：查无此人。就如上次我去苏州一般，我在

上　下左　去农村访问演出。

下右　短训班由华东军事政治大学政治部直属，所在地为中山门城墙旁，原国民党政府盐务局旧址。

二五三

上左　小组生活会。

上右　苏式军装照。

下　合唱团排练。

茫然中走出大门，没走几步，维德就在二楼阳台喊住了我。这次见面非常高兴，下午他就回沪了，我则按时回班。也是在这一次，我得知他已在上海总工会工作，说等我结业后，设法调我回沪。对今后的生活，我们充满了希望，感觉幸福的人生就近在眼前。

当时维德已三十一岁了，上总女工部的同志，总给他介绍对象，他说已经有"爱人"了，这二字是新社会的说法，到四月份我将结业，他就打了报告，作为结婚对象，要求调我回沪并分配工作。

结业阶段，调出了不少的同学，留下的同学转"政教班"，学习"中国革命史"，我仍然是学习班长。学习生活依旧，心里则开始默默等待调令。南京热得早，每天几身汗，校里却有奇怪的规定，洗澡不得用自来水，必须去河边挑水。每晚我尽可能挑有风的地方睡，甚至睡到门口，心里特别想离开这里，虽平时的学习、发言如前，内心却开始焦虑不安。等了很久，直到七月十五日这天，教导员找我谈话，通知我调动的事，居然还认真地问我，愿不愿意回沪？我说我愿意。心想我怎么会不愿意？后来知道，这是按规定的问话，必须要有本人的表态。

于是我领了车费，向班小组通报，也与接近的同学们一一告别。我与高次竹很谈得来，小资产阶级情趣相投，临走前的黄昏，我俩买了花生米边走边谈，坐在宿舍一个角落，她居然因我离去而哭泣起来。

次日上午，我洗了头发，领到钱，买了几个茶叶蛋。天气很热，太阳晒得皮肤发痛，我向林敏教导员道别，同学们也都在等着送我，我流了泪，坐上三轮车时，教导员红着眼。我与高次竹同坐一辆车，丁绮箮、李彬另一辆，她们和我都有很深的感情，送我去火车站。

三轮车在广阔的大道上驰骋，回望紫金山石头城的政治部大院、中央博物院、田野绿树，渐渐离我远去。别了，我留恋你们，你们将永远留在我的记忆中，这是我人生的一个转折点，我满怀空虚到了这里，面对你们曾经多么陌生，一切将改变了，过去的不再复回。

我上了火车。当时李彬说："那就永远不再见了？"我说："我不相信，有一天我们会重逢，人不会永远固定在一个地方，也难以永远厮守一起，但你们都曾在我心中开过花……"两点钟，火车就要开动了，我紧紧握她们的手，而后不停地挥手，直到她们从我眼中消失。

我身着戎装，戴苏式大檐帽，在上海火车站下了车，然后雇了三轮车，车夫看看我的打扮，判断我新到上海，付车费时敲了我竹杠。晚上九时到家，我飞也似的上楼。我知道此后，我将迎接全新的未来。

上海

一

·

[日记：1950 年 7 月 24 日]

回家了，我像小鸟一样飞上楼梯，和家人们团聚，一连两天没有出门。昨天早上，我拿着自己的档案袋，到华东局转关系，组织部一女同志接待了我，换了新环境，一定要安心工作，虚心学习。

今天，维德陪我和母亲一起去虹桥吉安公墓上坟，父亲离世已经两年了，我在坟前，轻轻地告诉阿爸，我将参加工作了，将要和维德结婚，女儿有靠，您可以安心了。

七月廿九日，我去上海总工会文教部报到，因八月一日将在跑马厅（现人民广场）举行"八一建军节"大游行，部长李家齐派我去大会筹备处工作，我当了一次信使，先去国际饭店给一位领导干部送信，然后穿过南京西路，赶到对面的大会筹备处。办公室人头攒动，副主席沈涵在此主持工作，动员全市产业工会，组织群众参加游行，工作人员有序而忙碌，显出了我的手足无措。"八一"全市大游行结束后，我回到上总机关。

上总在外滩14号（原交通银行旧址），底楼为劳动出版社，二楼除总务处外，几乎空置（常作为机关"交谊舞"场地），有一扇门，进门即电梯，有警卫值班；三楼是主席、秘书长和行政办公室，包括维德工作的调查研究室。文教部在五楼，部长李家齐，不到四十岁，是解放前邮电系统的地下党，曾出席"全国第六次劳工大会"，工作严谨，写一手好字，不苟言笑。副部长王若望来自延安，儒雅和蔼，待人亲切。文教部下设五个科室，负责工人业余教育、宣传，管理市工人文化宫、全市各区工人俱乐部、工会文工团、电影放映队等，范围甚广。我被分配做部长室文书，文书室连我共四人，工作是上报下达、拟稿、发通知、做会议记录等，杂事甚多。有时来不及吃早饭，请同事老张到后门汉口路"大壶春"买点心，大饼三分一个，油酥饼贵一些要五分钱。

文教部的同志，党员居多，各种学历的都有。当年进入市级党政机关，不需文化测试，不注重是否名校毕业，只要有熟人介绍，本人政治清白，中等文化程度亦可录用。

机关实行"供给制"，按时发服装，女为列宁装，男为中山装，食堂分大中小三灶，个人不花一分钱。一般干部吃大灶，处级干部吃中灶，小灶供应正副领导。每星期有荤腥，印象最深的是经常吃大白菜烧油豆腐，吃得我很生厌。每月二至四元津贴，可以买牙膏牙刷、针头线脑之类，如家中父母无收入，每月补助十元，也会配给老人小孩大罐的"克宁"奶粉（美军剩余物资），保姆、奶妈也给费用。大家对物质的需求很低，甘愿接受这种战时共产主义分配制度，有归属感和荣誉感（也听说引起其他机关"薪金制"人员的羡慕，要求都改成"供给制"）。每周上六天班，晚饭后都自动加班，回家一般要九点后。常收到周末、假日的各类演出赠票，去文化广场观看著名的苏联芭蕾舞剧、苏联体育团的演出，文化生活丰富。

一九五〇年国庆后，维德向机关党委提交的结婚报告获得了批准，他三十一岁才结婚，当年少有。他的同事们开了一个茶话会，把我叫到三楼调查研究室，围坐在一起，热热闹闹，祝贺我俩结为夫妇，婚礼就这么简单。[1] 我给自己的同事发了一些黑枣嵌胡桃（宁波婚俗，黑枣去核，嵌入胡桃仁，暗含早生贵子之意）。

［日记：1951年10月12日］

今早遇家齐同志，他见我就拉下面孔说：结婚的事为什么不向部里汇报？那么没有组织观念！剋了我一顿，我很尴尬，无言以答。[2] 下午，副部长王若望也知道了，跑到我办公室，一进门笑呵呵地说："小姚啊，保密工作做得那么好，你和老金结婚了，也不告诉我，要罚。"我给了他一把黑枣嵌胡桃，他当场吃了一颗，连声说好，还问我要，我说就这么多了。他不信，我把抽屉打开给他看了，只得作罢。他为人谦和，不摆领导架子，由此可见一斑。

机关分配的婚房在溧阳路1111号，原国民党"黄色工会"所在地，解放后改为机关宿舍。三层英式洋

1　1951年元旦，家中双方在青海路（近南京西路）康乐酒家办了几桌。维德的旧同事（原《时事新报》后转《解放日报》的郑巴奋、夏其言等数位）也来贺喜，酒席费由他们自付。

2　夫妇共在机关工作的并不只我一例，李部长爱人相荣恩是总务处办公室打字员，魏静嘉丈夫冯伯乐，英文极佳，上总"工运史料委员会"即调他过来任英文编辑。

左　1950 年国庆节的上海总工会外貌。

右　1950 年 7 月 29 日，上总文教部证件照，父亲去世不久拍的，白发夹是为父亲戴孝。

1950 年国庆后拍的新式婚照，乔士照相馆摄。我们穿制服，不西装革履、不披婚纱。
取照时，店方建议照片放大到 24 吋，在橱窗内展示。我们觉得影响不好，没同意。

房，我们住三楼，南北两间，明亮宽敞，落地壁橱，长条打蜡地板，盥洗室也铺木地板，厨房在二楼（我因不烧饭从未去过）。那时生活家具都由公家提供，一应俱全，无需添置，但我还是搬去一套丝绒沙发，引起邻居注目。

婆婆送来了她做的"南瓜团子"，黎里风味，我们吃了好几天也吃不完。

母亲在陕西南路的房子里也为我布置了新房，摆一套昂贵的雕花红木家具[1]，是一九四八年我陪阿爸在南京路"虹庙弄"买的。母亲送我的嫁妆是一张两千元银行存单，一根十两重金条，一些银元"压箱钱"，两只大樟木箱里放了一大堆银器：一座六十公分高的银宝塔，一对瓜型银果盘，"福禄寿星"，银制儿童玩具，如小汽车、"阿王打年糕"（一拨会动）等，以及碗筷盆碟、酒壶等纯银餐具（十人套，俗称"银台面"）。箱子装得满满的，一九六六年之前，我几乎没有打开过。除此之外，另有十六条真丝被面，其中一条苏绣软缎被面，绣有华丽精美的"百子图"，嫩绿色背景，布满一百个嬉戏的古装小孩，姿态各异，五彩缤纷。这些财物，明显与朴素的机关宿舍不合拍，

---

1 此套家具在新祥弟结婚时给了他，换用了另一套红木旧家具（据说是大哥朋友抵债的），觉得也不错。维德则不喜欢红木，说爬有蟑螂也看不出来。

全留在陕西南路的房子里，我从不把它们放在心上。

每天早上七点半前，我和维德出门，在晨风里走到北四川路，乘有轨电车去外滩上班。经常乘后尾的三等车厢，乘客太多，才改乘一等车，票价虽贵一些，乘客少，视野开阔。司机穿深色制服，手套雪白，直立在车头前，双手控制黄铜曲柄，不时踩踏金属踏板，发出叮叮当当的车铃声，每个司机踩出的铃声不同，一般是单调的"叮当，叮当"，难得会听到一连串更有节奏的叮叮当当声，令人愉快……如果出门晚了，只能坐三轮车。那时期早出晚归，忙碌又快乐。

秋天我怀孕了，去威海卫路（今威海路）745号公费医院（后改名上海儿童保健院）做检查。记得一九五一年夏天特别炎热，太阳像火球，柏油马路快要融化。二十四日下午二时开始阵痛，我大汗淋漓，去医院待产，医生再三嘱咐，痛时不能乱动身子，会影响胎儿，说同室一产妇因为动得厉害，翻来翻去，胎儿产出已死，是"动"死的。七月二十四日晚，母亲和维德在室外坐了一个晚上，直到第二天早上八点才生下来，是个男孩，重八斤多，很健康。家人守候了一夜，都松了口气，非常高兴。那时工作极忙，生孩子又忙上加忙，我俩不假思索，给孩子取名"芒芒"

（忙忙）。

婆婆得悉喜讯，立即和小姑惠珍带着箱笼细软，锅碗瓢盆，从黎里镇兴冲冲来沪。她们住大间，我俩住小间，另雇一娘姨（保姆）买菜烧饭。惠珍的孩子还未断奶，表示可给芒芒喂奶，热热闹闹一大家子人，就这样在溧阳路住了下来。

我们几乎把所有时间都用在工作上，晚饭不回家吃，其实公事并不算多，但是会议多、报告多，各科室每天到部长办公室汇报情况，都要记录。李家齐要求严格，常在汇报时当场批评人。有一天忽然让我搬去他办公室，交给我一大堆有关基层工会职工业余教育的总结材料，要我看，我不清楚用意，对这类工作非常陌生，硬着头皮看了一个下午，看得云山雾罩，昏昏沉沉，直想打瞌睡。他见我如此反应，有些失望，让我打道回府，仍然调回502室。

二

一九五一年底，部里派我到文化广场筹备"爱国主义教育展览会"，离溧阳路很远，早上七点前必须出门，乘1路有轨电车到北京西路下，再换24路无轨电车，八点前赶到。筹备工作进展缓慢，常无所事事。文化广场（即过去跑狗场）空空荡荡，有一架孤零零的钢琴，我常去弹着玩，有时就这样消磨一个下午，周围看不到人。到了一九五二年，全国开展轰轰烈烈的"三反"（反贪污、反浪费、反官僚主义），我被召回机关，参加运动。

这年二月，维德被借调到市委，担任"政法大队增产节约检查组"组长，进驻上海公安局及提篮桥监狱调查搞"三反"。该狱关押了包括汪精卫妻陈璧君等很多重犯，是市里"打老虎"的重点。监狱对维德来说十分熟悉，这回他竟遇到了十年前南市监狱的狱卒，经历日伪、国共变更，此人一直在狱中执勤，现在戴大盖帽，一身人民警察的制服，已认不出面前的他。维德发现监狱留用大批旧警员和看守，此人不是孤例。

维德就监狱的人事制度提出不少改进方案，局长许建国（后任副市长），尤其副局长扬帆十分赞赏他（一九四五年维德去淮南根据地情报部过组织生活，与扬的爱人李琼熟悉），调查报告提出的建议全部被采纳。工作接近结束，他们热情挽留维德调市公安局工作，领导新成立的侦察一处（负责外国间谍案），后据说副市长潘汉年也表示同意，维德也愿意留下，但上总不同意，市局只能无奈地欢送他回去。俗话说塞翁失马焉知非福，三年后"潘扬案"发，公安系统

左起，我、陶家荃、陈禾山、文化宫的马肇瑾，都是上海姑娘，剪统一的短发，穿公家棉布列宁装，新旧颜色不同，松松垮垮，又肥又大，布鞋布袜是当年流行装束，一看就知我们吃"公家饭"。

上 我的办公桌，每天埋头看文件，忙得不可开交。窗外热闹的外滩也没工夫看上一眼。

下 平台下即黄浦江，远景浦东，阡陌交通，鸡犬相闻，一片田园风光。市文化宫摄影师叶德馨来办公室，带着罗莱克斯照相机，我们就请他拍照，先在办公室，午饭后上七楼平台，都是年轻人，嘻嘻哈哈地拍了多张，大过拍照瘾。

大批人员如经历炼狱。如果他当时留在局里，必将遭遇更大的灾祸。

"五反"同样开展得如火如荼，四月，我参加工作组，进入一批私营五金小厂"搞运动"，地处周家嘴路，小厂密布，一家连一家，五金工会主席马小弟主持这项工作。小老板们每天都来工作组交代问题，有否偷税漏税，是否行贿干部，是否偷工减料，个个唯唯诺诺，低头哈腰，有时痛哭流涕。我在一旁做笔录，常也觉得于心不忍，但工作还是要坚持做。

六月，调去郭氏的永安棉纺三厂搞"民主改革"。这是私营大厂，地处西苏州路，那一带全是纺织厂，机器轰鸣，震耳欲聋，工人们"六进六出"，一天工作十二个小时，每到上下班时间，女工们步履匆匆，苏州河边人流如织。工作组由纺织工会顾龙桂领导，我负责细纱车间民改，旨在废除旧制度，建立相应的民主管理制度，动员女工诉苦，控诉"那摩温"欺压工人的行为，听取改进生产的建议。在我工作的车间，工人两班倒，我经常跟班，往往到晚上十二点才能结束，急匆匆赶乘19路末班车，到家差不多凌晨一点。此时我已怀上第二个孩子，肚子逐渐明显，仍然在车间找女工谈话，眼前的怀孕女工也比比皆是，她们每天照样上下班，非常辛苦，我与她们相处，不把怀孕当回事。

[日记：1952 年 8 月 7 日]

　　昨天下车间，时间太晚，错过了末班车，索性住厂里，宿舍区在二楼，职员宿舍要优越得多，我住的女工临时住宿大房间，六七个双层床，半夜还是人来人往，川流不息，女工们嗓门大，哇啦哇啦大声说笑，百无禁忌，只有几个上铺空着，我挑了一个靠墙的床位，小心爬了上去，尽量把身子往墙边靠，就怕熟睡后翻身掉下来，在复旦上学曾有过从上铺摔下的经历，这次可不能再出错，自己不要紧，伤了肚子里的孩子怎么得了。周边女工们的呼噜声此起彼伏，我很担心，一晚没睡好，迷迷糊糊捱到天亮。

第一次体验到纺织女工的辛苦，尤其织布车间，梭子在机器中穿梭，噪音震耳，讲话要贴近耳边，高八度才能听清。女工们个个练就大嗓门，手脚麻利，脚步不停，在织机中来回巡视，每天要走十多里路，劳动强度非常之大，我常在车间和她们接触，感同身受。夏去冬来，近六个月了，民改工作一时结束不了，到了近生产，我行动不便，提前请假，这次顺利生下了第二个孩子，与上次相比，真是天壤之别。

[日记：1952 年 12 月 10 日]

　　8 日清早腹痛，8 时许和维德坐公家车出门，一路阵痛不断，车到北京西路铜仁路公费医疗医院，就被推进产房。我对他说："去上班吧，一时半会不会生的，到时电话通知。"不料这次非常顺利。他刚走不久，短短几次阵痛，孩子就呱呱坠地了，与上次（去年 7 月 25 日）生芒芒的强烈痛苦比较，天差地别，舒舒服服，是老天眷顾我。婴儿发出了哭声，又是一个男孩，我赶忙请护士给单位打电话，同事说，老金还没有到办公室呢。

　　我和病房里三个产妇谈笑风生，觉得很快乐。维德每天下班就来看望，带益民厂纸包蛋糕或"沙利文"点心，因这一次生产舒服顺利，我们为孩子取名"舒舒"。

　　当年一般家庭生五六个孩子很普遍，我们曾决定，生三个孩子就足够了，最好两男一女。又生一男孩，和我俩的预计一样，只是事情来得实在太快，生芒芒相隔不到两年就怀上了。工作忙得不可开交，曾经我想，孩子就不要了吧。吃过一阵活血的"月月红"不见效，也有意无意骑脚踏车，如果流产了，就顺其自然，但胎儿丝毫不受影响，他这么任性，这么坚定不移，在我肚子里结结实实待了近十个月，直到健康地诞生。

我从医院出来，我们家已从溧阳路迁到了江苏路389弄21号"均乐邨"机关宿舍，底楼朝南一个大统间，加一亭子间，有盥洗室，我俩住亭子间，婆婆和惠珍（她还带了自己的两个孩子）住朝南大间，窗外有小天井。我出院回到新家，芒芒将满一岁半，穿一件格子罩衫，看到我就蹒跚着走来，摇摇晃晃，跌跌撞撞，可爱至极。我急忙抱起他，哈，他会走路了。我好高兴。

孩子们由婆婆和惠珍照顾，小孩衣服，包括毛线衣之类都是惠珍做的，另雇了保姆秀英。芒芒断了奶，还要喂奶粉。那年冬天非常冷，北窗结有薄冰，一早我们出门上班，常见惠珍围拢棉被抱着孩子，婆婆却从温暖的被窝里下床，披衣为孩子冲奶，她老人家年近七十，身体又不好，这场景印象深刻，让我十分感动。严冬季节，一次舒舒发了四十度高烧，痉挛抽搐，送到公费医疗医院，当即住院，护士用一罩子罩住病床，插一条软管输入蒸汽，不知是一种什么疗法，缓解了病情，几天后，他就恢复健康回家了。

我休完产假回单位，已接近一九五三年春节，机关倡议节日期间，有家室的同志要请未成家的单身汉吃团圆饭，我邀请了科里钱治培、凌风等几位来家聚餐，并告诉了婆婆。想不到她老人家竟烧了一大桌子江南家乡菜，其中有一道"虾圆"，制作颇费工夫，活河虾剥成虾仁，加少量猪油，在小石臼里舂成虾泥，挤成圆子，汆熟，然后高汤勾芡，鲜嫩异常。这小石臼是个传家老物，光滑异常，有百年的历史，婆婆从黎里镇老宅带来（至今还在）。她老人家十五岁起就吃长素，不食荤腥，但烧得一手好菜。遗憾的是，同志们吃完没一句赞誉。告辞后，我记得婆婆幽默地说："阿是做媚眼拨（给）瞎子看？"她说的这一句是黎里话。

一九五三年三月初，斯大林逝世，机关抽调多名干部下厂，了解搜集工人的思想反映，我被派往纺织厂工会，最后写出书面情况汇报。

到该年五月，总务处通知我们搬家，新址在卢湾区长乐路460弄，近陕西南路口，隔壁就是"红房子"西餐馆，路对面是"长乐邨"（旧名"凡尔登花园"），东邻"兰心"大戏院，进弄堂是个大院子，十幢三层的"钢窗蜡地"新式里弄，院内遍植花木，房子竣工在解放前，据说一直空置，就被辟为上总的机关宿舍。园内第一幢是文化宫电影放映队办公室，我们住最后一幢，科长住一楼，二楼三楼给处长住。厨房在一楼，二楼走廊有公用电话和卫生间，包括浴缸、抽水马桶。全楼住户洗澡，都要到二楼。我们住三楼大小两间，加一亭子间。当时南京饭店被上总合并，机关里就多出不少饭店的家具，我们挑了一张铜床，几个橱柜。小姑惠珍当时已搬去虹口，婆婆和小孩住小间，保姆秀英、奶妈小凤住亭子间，房间都不大，记得教育科一位女同志来看我说，这房子怎么和轮船里差不多。

芒芒已经两岁半，按规定"全托"，机关托儿所设在五原路近常熟路一栋花园洋房内，设施优越。周一早晨，所里派一辆三轮车到每家接孩子，周六沿途送回。三轮车是改制的，围有一米多高的木栏栅，上有棚，可遮阳挡雨，漆成天蓝色，后有两扇小门方便孩子进出。到了冬天，车身围了厚棉毯保暖，一车可运送五六个孩子，车夫约四十上下年纪，风雨无阻，每周按时到达，家长们都很放心。托儿所一日三餐，下午点心，芒芒都喜欢，去了两个月，已经长高了。一切费用由公家负担。

这一年十二月二十日，我在长乐路妇婴保健院生下女儿小冬，也是一早进入产房，十一时生产，原以为可像生舒舒那么顺利，不料有些痛苦。产后回家，我住小房间，小冬紧紧依偎在身旁，稍有离开，就会啼哭，好不容易过了产假要上班，只能雇了奶妈莲花，褚暨人，不到三十岁，小冬非常依赖她。那时物价便宜，人工低廉，保姆月薪只十元左右，奶妈稍贵，一般为十二元，全国还没实行粮食统购统销政策，户籍

上 我们第一个孩子芒芒，三个半月大了，非常健康。溧阳路我家附近照相馆摄，1951年11月3日。

中 江苏路389弄21号（均乐邨），原中共中央上海局机关旧址，上海地下党许多重要会议在此举行。1952年12月至1953年5月我们居住于此。这是我家南窗外的照片，沿窗摆了沙发，我俩住北面亭子间，南房外有小天井，左侧有通到弄堂的小铁门。

下 我24岁，1951年。

闸北"联义山庄"赏秋，1951年10月。

此地有潘公展、阮玲玉等墓茔，占地200多亩，松柏苍翠，秋景怡人，是当年上海人秋游的好去处，巧遇复旦章靳以（靳以）先生，喜盈盈地问我离校后情况，他正与巴金先生筹办文学刊物，问我是否愿意去工作，我说已在上总工作了，已熟悉了环境。他说如果愿意，随时都欢迎。记得之后在陕西南路也遇到他几次，都停下来亲切交谈，我非常尊敬他，可惜1959年（50岁）英年早逝。

制度也没以后那么严格，城乡人口流动频繁。

一九五三年冬，维德进驻市公安局的工作结束，回到上总，调任水上区工会主任。第二年四月，水上区正式成立（辖区包括黄浦江、苏州河两大干流及沿江河支流等水网地带）。范达夫任区委书记，范是新四军南下干部，爱好文学，善赋诗词，他和维德投缘，建立了深厚的友谊（这友谊一直延续到多年后，我才意识到有多珍贵）。

[日记：1954 年 10 月 2 日]

今天是建国五周年，晚上有水上游行。我带芒芒赶到黄浦公园边的水上饭店，V.D. 负责这场活动，上下忙碌。饭店楼顶设观礼台，放有桌椅和招待茶点，已坐不少人。我们找空桌子刚坐下，江上鼓乐声齐鸣，黄浦江波光粼粼，大小船只张灯结彩，五光十色，船分排几路纵队，由陆家嘴向十六铺方向进发，击鼓鸣金，彩旗猎猎，海关大楼、和平饭店、外白渡桥边以及上海大厦都插国旗挂彩灯，与巡游船只交相辉映。外滩人山人海，热闹非常。礼炮"轰隆隆"响起，在头顶变为巨大的花朵，开放在深邃的夜空里。我目不暇接，心情愉悦。可不知怎么，芒芒神态不佳，后才知晚饭时不小心哽了鱼刺，一副很难受的样子，我有点担心，此时正好有一吉普去锦江饭店办事，搭车回家。庆幸是回家后他就恢复了。

平安祥和的一九五四年过去了。我们有了三个可爱的孩子，家庭幸福，我工作有了进步，维德也极为忙碌充实。

三

一九五五年四月，维德由水上区调回，在华东海员工会当秘书长。五月，全国开展"肃反"运动，五月十三日《人民日报》陆续发表关于"胡风反革命集团"的三批材料，后与《人民日报》"六六社论"编在一起，供大家批判。我们天天参加学习，热火朝天。建国后短短的六年，大小运动搞了六次，平均每年一次，人们习以为常，热衷参加，我也积极参加，我没有政治问题，以为远离旋涡，不知就在火山近旁，岩浆、烈焰已慢慢地烧来。

六月七日这天下班时分，我在楼下遇见维德，他穿着藏青色中山装，正要去主席室，有些匆忙，我没在意。晚饭后听报告，回家已是九点多了，抬头望望三楼没有灯光，这么晚他还没回？上楼到房里，看到他留的字条，称有要事出差。没写去哪里。婆婆说，有人陪他一同来，拿了替换的衣物，急匆匆走了，像是去北京，大约十天半月就可回家。

出差是常态，我不在意，不料这一去，如断线风筝，二十天多天杳无音讯。我每晚回家，远远就抬头望三楼，盼望着能见到熟悉的灯光，表明他在楼上，无数次总是失望。

六月廿八日，家里忽然来了陌生人，给我一封没有封口的信，打开看是他的字迹，迫不及待地看完，松了口气，终于收到他的来信了，我告诉了婆婆，给她报了平安。

[维德来信：1955年6月24日]

云：

　7日晚我去主席室（楼下你碰到我时，我尚不了解，因而也没有给你谈），被告知有件突发任务，组织上临时决定派我外出，也不能预先通知我，车票已经购好，所以连找你的时间也没有，匆匆回家弄点行装走了。那晚你归来，谅必见字条奇怪了，我也觉得有些匆忙，但这是组织任务，不是去玩，去看戏，可去可不去的。这两天想，你一定非常惦念我，告诉你，我很忙，以至不能马上给你写信，尽管稍有空暇时，就会想到你、孩子和妈妈。临时突击的情况你也经历过，我相信你会理解的，我多次经历过这样的生活，觉得比循规蹈矩坐办公室要惬意得多。

临走时告诉妈，还是要将舒送托儿所，条上也说明此点，不知是否照办。你也很忙，就勉为其难，抽出个小时把孩子送去，免得他在家让妈太辛苦。

又及：此信乘同事有便回沪带给你，想快些，他如没空，就拟请他付邮了。

望 6.24

信不邮寄，托人带来，我有一丝不安，到底是什么紧急任务？保密，也不告诉住址。组织纪律提醒我，不能随便问，虽心中有这些疑虑，我还是很高兴。来人沉默寡言，让我写好回信，约定第二天来取。当晚我就写了回信，写上我的思念，让他放心。

［我的信：1955 年 6 月 28 日］

……舒舒六月九日就送托儿所了，他好动，合群，与芒芒同班，俩人一起吃早饭，玩得高兴。星期六回来，他喉咙哑了，问他托儿所可好，他说好，阿姨也好，星期一就很高兴去了。现已经快有三个星期了，有趣的是，他回家看见我和你妈，都叫"阿姨"，饭也自己吃，吃得很好，很多……

上星期托儿所开家长会,将要开始试行半托,连医药费、车费,只需十元。

芒很好,很能说,看你不在,也不吵着要你,但有一个星期六晚上,我牵着他一起在门口散步,看到一个男同志长得有些像你,就挣脱我的手跑过喊他"爸爸",让我有些尴尬。上个星期天,陪他去看过一次电影(《山间铃响马帮来》),这星期陪孩子们到襄阳公园玩了一次,为了节约,这星期日连买菜在内只用了两元钱。

小冬很好,身体很棒,东西也吃得下,牙牙学语,会讲好几句话了,给她做了一条裙子,穿了很好看⋯⋯

云 6.28

信被带走了,又开始了漫长的等待。

一九五五年起,粮食和副食品供应日益趋紧,机关经历了"供给制"、"包干制",最后转为"工资制",食堂实行新制度,吃饭隔日登记,当日付钱买饭,最贵的菜每份 1 角 5 分,如炒鳝丝、红烧肉、糖醋鱼等,其次一档,咸带鱼一角,素菜基本是 5 分,米饭 3 分一碗,也算方便称心,有时一顿饭只要一角就够了。实行了工资制,两人收入合起来虽然有两百元左右,仍必须节约,如晚上没会议,我就回家吃饭。全家有七八个人，外加房租、水电煤和保姆奶妈工资，每月开销是不小的数目，有入不敷出、捉襟见肘之感，从没有为衣食犯愁的我，不得不打起了算盘。

[我的信：1955 年 7 月 3 日]

　　……昨天完成这月"核减用粮计划"，你不在，上月粮食有余，这月就定了 40 斤，我心中有数，你不必担心。秀清（保姆）还是临时户口，上海动员多余人口回乡生产，这月她未能领到粮，而且根本不可以领了，我正四处找人帮忙。据说上面已有新规定，1952 年以后来上海的常住户口，粮食关系不能转移，也是动员回乡的对象，这就麻烦了。

　　改了工资制后，相对开支增加了很多，我最担心的是房租。下个月要开始实行工资制，如果要每月 30 元就糟了。我想，我们住两间房就够了，退掉一间亭子间，可以省一点钱。你八月份总该回来了吧？我们一定要好好商量一下。组织部已向我调查了家庭开支情况，开始我很急，现在也倒反而不急了，51 年实行供给制时，你我津贴加上保姆津贴总共只有 40 元钱，家里人员也差不多少，过得也很好，现在只要精打细算，计划用钱，日子也一定会过得下去。

　　你那儿伙食可好？胃口怎样？要注意营养，

以待采用等语须回作答复复，亦收到
他的短信，我即请他上海付邮了。◎
又.

霙：

回昨晚得你空军信号，但你上也是昨晚
收到的，快而别路是画多，我回昨七晚收
去电摩告（按下你是已寄到我时，我将知因回
而也没有误），才3个12位上你我升此，那
已确定，连北付的时尚也没有，我有：去等
星三到装去了。即晚你作息，误此思等有
程了。我北七卫总没有些方也：位是位位
位方。如无去这纪亮载，另去3不去却。运内
只要你情等我，某待你，我猜此，子子不
别是上海你等位，怪着是别方室海此，也
向我电到你孙和把。北.电去你给你
你也电历此，我会理解的，我也寺打甘一
室去住号的心悟，这此路纪编辑的世方去
也要怪等望。

陪志等告诉好，已电要找等：这就四
所，要上此说明注意，名知果着四方，好北
纸此，我勤多云改，把我个人情况向他道去，
去阪上部要怪发名的了，但有室我仍送来
你，以仍陈遵外送。送去了，免仍他去字

一定要记着：别在吃上节省（在吃的方面，我并未过分苛刻自己）。早上有豆浆吗？烟可以少抽一些，这对身体有害，你总是不肯听……

云 7.3

［维德来信：1955 年 7 月 2 日］

云：

星期天我不在家，你要照顾三个孩子，估计比工作还累，看上海报纸的电影广告，那个《海军上将乌沙科夫》电影看了吗？等我回来，好好去看一次电影，跟孩子们尽兴地玩一次。

现在已是入夜，满天星斗，一钩斜照，我想该是你哄孩子们入睡、倚床看书的时候了。你最近工作状态如何？是否还很晚回来？一定要好好休息，我每天起码睡八小时以上，比在家时睡得更好些，一侧头，稍稍翻翻书，眼皮就合上了。

包干制改工资制后，大家都在精打细算，特别是多子女的人，用钱更要有计划些，你也许已经算过几遍，以至我想象得出，你坐在桌前打算盘的神态，计算着每月的柴米油盐。我知道你最大的忧虑，是怕孩子们看医生再不能享受公费医疗，实际上，孩子生病是偶然的，而孩子的生活用品、衣着零食则是经常要买的，计算时只要抓住这一关键环节就好。如果我在

上海，看你那么绞尽脑汁、千算万算的，一定
会取笑你，会引起一场小小的争端，现在只通
信不见面，两人就抬不起杠来了，你说是不是？
这月的工资你可代我领取，顺便把我的党费缴
了，六月份我在上总食堂只吃了几天饭，伙食
费大部分应该可以退还。另外，你在计划的时候，
可得把我这次外出期间的伙食费留出来，下次
托来人带给我，我在这里做事、吃饭，都还挂
着公家的账呢……

[我的信：1955 年 7 月 15 日]

　　……原先由于自己思想上过多地考虑个人问
题，情绪不稳定，一度影响了对学习的积极性，
党小组长已经与我谈过，对我的入党补充报告
提了些意见，让我写出母亲在我结婚时候给的
财物详细清单，我无论如何在下星期内要写完，
交给他审查。

　　近来工作较闲，秘书室是否需要这么多人（秘
书共 6 人），总是有事就忙一阵，无事闲得无聊，
很不正常。空闲时候我就会想念你，前些日子，
因为接不到你的信，引起我很大的不安，最近好
了，收到了你的信，但回来的日子你又讲得含糊
不清，使我不安，希望下次来信一定把回来时间
说得再明确一些（去年那次你去北京，原说两个

月，但四星期不到就回来了），好让我放心。

保姆问题还没有解决，我找来找去找了七八个人，这样不好那样不好，又要政治上没问题，又要手脚灵活人老实，星期天再去荐头店看一下，是否有合适人选。

明天晚上又是孩子们的世界，每个礼拜都借一些连环画给他们看，两个哥哥最高兴，小冬也挤上来，芒芒看《渡江侦察记》和《铁道游击队》爱不释手，眼睛睁得很大，很认真。阿姨说，舒在托儿所最爱看书，爱看花，玩具一玩就厌，但在家搭积木很认真。上星期日天热，没领他们出去，他们就把椅子拼起来玩开火车，一起唱了很多歌。舒舒现在很会讲话，对新鲜事总要刨根问底，上星期日抱去看医生，看到有人牵一匹白马走过，他盯着马看很久，睡午觉问我一连串问题：马为什么白颜色？有绿颜色的马吗？拉它到哪里去？为什么马要背一只袋袋呢？袋袋里有什么东西……

学习之余就看小说，最近冒险小说很流行，但苦于借不到。这星期日上午去大光明看《伟大的公民》（团体票，集体观看），平时演新片子，独自一人很不愿去，等你回来，我们要去补看几次才好。

机关很多女同志都穿起了裙子，同志们都让我做，我把去年买的那块薄花呢拿去做了，穿了几次，觉得有些短，去店里改，店里不肯，差一点吵起来，但又有人说这裙子做长了，我无所适从。机关里有些人做连衫裙，我觉得自己穿了不一定好看，还是穿半截裙适宜。最近路上很多人穿旗袍，我想把以前的旗袍拿出来穿。是否太赶时髦了，想听听你的意见。

你说要买东西回来，应该好好地核计一下，不大手大脚花钱，要接受上次教训，给同志们带一些，给孩子带一些，多考虑节约，用钱的地方多着呢，时间长着呢……

讲到这里，已经十时半了，收到你来信时再写吧，平时总是先把信写好，等接到你信，托来人带回，这样会快一些收到。

多注意身体，注意休息，晚上不要太贪凉。

云 7.15

都是预先写信，接到来函，即交该人带走，以为最多两三个星期他便可以回家，但事情急转直下，就在写完上一封信的第二天，我经历了一生中最痛苦难忘的场面。当年我二十八岁，三个孩子的年轻妈妈，风暴终于降临在我头上。

[日记：1955 年 7 月 17 日]

　　昨天傍晚下班到家，有三人在家等我，我感到奇怪，特别是其中一领头的，铁板着脸，冷漠无情，一副凶相，不愿和我多说，要我把维德所有书信、照片、笔记交给他们，兀自翻动房内物品，查看书籍，从晚7时，一直待到10时才离开(等于小抄家)，临走时那人冷冷地说了句："你爱人涉及潘汉年案。"着实让我吃惊不小，当晚翻来覆去没有睡好。今天报纸公布"潘汉年、扬帆反革命集团案"有关文章，明确提到 7 月 16 日经全国人大批准，已将潘汉年、胡风两代表逮捕审判。我震惊，深感意外，潘汉年是副市长，当年上海地下党的领导，为革命出生入死奋斗数十年的老党员，怎么会是内奸、反革命？和维德又有什么关系？十分惊诧不解。

维德怎会涉及这个大案？我日思夜想，怎么也想不明白。我们相识十年，以我对他的了解，他不可能是反革命。这些年他常常对我说，真是幸运，不解放我们的日子就不可能如此幸福。他怎么会做反革命的事？他母亲只感到事情蹊跷(一直说他去北京出差)，每天求佛保佑。我觉得恐惧，万一真出事，三个孩子怎么办？他们都还小，叫我如何是好？各种想法在脑海里翻滚，请来他朋友郑巴奋、萧心正¹分析形势，回顾往事和他的为人，他们都宽慰我，说看不出他有什么问题，一定是误会。我的心又轻松起来，我想中秋、国庆，他总可以回来了吧。疑虑、焦躁不安，始终在脑际盘旋，直到收到了他的下一封信。

八月十二日收到他的来信，是一封轻松的来信，信中谈天说地，洋洋洒洒，看不出有一丝烦恼，使我紧张的心情放松了很多，心里燃起了希望的火花。

[维德来信：1955 年 8 月 8 日]

云：

这二天一直等着你的信，等到我快失望时，忽然信到来了，意外的惊喜总是使人格外高兴。

……夏天到底比冬天方便不少，晚上洗澡、洗衣均方便，内衣每天更换，讨厌的是有蚊子，但我有办法，那是我在十五六岁念书时练就的，睡觉时把头包起来，只露出两个鼻孔透气，听不到蚊虫叫，就能酣睡。昨晚，大家像消防员一样，点上多盘蚊香，驱赶蚊虫，已至于烟雾弥天，也把自己当成蚊子熏了，当夜就很舒服，没有困扰。

1　郑巴奋，《解放日报》记者，因被发现箱中有发报机（友人代存），离婚去青海劳改。唐山地震期间来沪看病，维德托人给他60元（当时维德的月工资仅 30 元）。后病故。
　　萧心正，1948 年曾经告诉维德，组织上要派他去台湾，后又说不去了。1949 年后调纺织局，任局长张承宗秘书。

……前几天，我在花园里见到一只大蚱蜢背着小蚱蜢，就像妈妈背着孩子一样，很是有趣，马上就联想到你，离家后，这一个时期辛苦你了，幸而我们只有三个孩子，心里还是惦念你的时候多，这也是很自然的。

……不要老记挂着等我回来。请想想他们吧：那些远离家人去戈壁沙漠的地质勘探人员；那些正在享受甜蜜初恋，而决然选择报名去边陲从事建设的青年们；那些告别了妻儿和家中温暖的壁炉炉火，在东北冰原上工作的苏联科学家们。他们是那么伟大，令人感动，与他们相比，我们暂时的离别就显得是多么平常而有愧，这不只是对你说的话，也是对自己说的，有时候太想念你时，一想到这些，心境就会豁然开朗起来。

……记得妈缺少夏天衣服，我也没时间给她买，你问问看，如你不问她，她是不会向你开口的，你给她买，她一定会很高兴，她自己对生活上的要求非常低。你告诉她，我现在身体很好，吃得下睡得着。此外，她吃长素，家里食油如果不够，你们可买些猪油烧菜，免得吃掉她的素油，让她保持营养。

……我的文娱活动是下棋，晚上下个两三盘，很有兴趣，似乎比打"杜洛克"（一种扑克牌玩法）好多了。每次被对手"将军"，就会很着急，一旦赢了棋，就像小孩般高兴，下棋时旁边不时还有人当参谋，指指点点的，但不像打牌那么吵，颇得静趣。

现在天降暴雨，刚才突发惊雷，有人吓得牌都抖到地上，我要去洗澡了，不知你现在已经回家否？愿你阅后觉得愉快。

V.D. 8.8 夜

我反复看了好几遍，舒畅很多，信尾的一段话却让我疑窦顿起，记起八月八日那天晚上，上海下了暴雨，晚上九点左右，天空突然响了一个暴雷，巨大的雷声惊天动地，让我战栗，奇怪的是他在信里说，那天也遇到了惊雷。难道世上竟有这么巧的事情？我判定他不在外地，一定在上海，如果他在上海，为什么不能回家？为什么要隐瞒实情？我的头脑混乱起来，又开始胡思乱想了。

[我的信：1955年8月12日]

V.D.：

那天正在吃晚饭的时候，收到你的信，来人在旁边等回信，唯恐他久等，我就把前一天写了一半的信草草写完，让他带走，所以有好些事、好些话没写，今天就把这些话讲给你听。

收到你的来信，心里的阴霾一扫而空，我的

忧虑是完全不必要的，想得太多，徒然自添烦恼。但有些话不得不讲：这么多天来，你到底在哪里？是学习还是工作？你是在外地还是在上海？8日上海有雷雨，那天晚上我睡在床上，天上突然打了一个惊雷，奇怪的是，你给我的信也提到那晚巨大的雷声，天下怎么会有这种巧事发生？我判断你肯定是在上海！如果在上海，别人可以回家，你为什么不可以？这些问题已提了多次，明知问了你也不会回答，今后我决定不再问了，但你也知道我的脾气，我有什么要说什么……

你来信太少了，你寄给我的这几封信，我已经翻来覆去不知看过多少遍了，甚至还翻看以前你的信，我要再三地在这些信中找寻你的感情，我有时会突然感到不了解你，感到你的陌生，感到你这次离家非比寻常，感到见面的日子还很遥远，有时想得很可怕，甚至感到幸福的日子已经远去，今后的日子将会不再愉快了。你说这次到外地工作，领导尚须挽留你一些时间，八月份不能回来，要一个多月，那么到底是一个半月，还是一个月廿九天呢？如果真的明确了时间，我也就放心了，我将用美好的期待盼望你的归来。

……自从你走后，新出的电影一次也没有去看过，只陪孩子看了几次老片子，独自一人去看兴致不高，上次印度文化艺术代表团、蒙古人民军歌舞团来沪演出，也有票子，同志们都去了，我感到没他们的好心情，提不起兴趣，也没有去……

阿姨说芒芒顽皮、活泼，唱起歌来声音非常好听。他的确懂事多了，昨晚陪他去锦江饭店附近玩，我对他说，芒芒将来长得比爸爸和妈妈还要高。他说，我长得这样高，那么爸爸长得多高呢？我说那时候爸爸老了，爸爸要变老公公了，不会长高了。他听了有些失望。一路上，他问了不少问题，很响亮。你不会相信，舒舒现在长得有多结实，小手小腿粗粗壮壮的，外形太像你了，动作也像，据托儿所阿姨说，他比所有的小朋友长得都高，阿姨很喜欢他，因为他一点不怕生，很爽直。小冬穿了小裙子，很好看，她每天早晨总要骑马给我看，在学说话了，叫"哥哥"，还会说"排排坐吃果果"。因为天热，我不大带孩子们出去，昨天陪他们去复兴公园玩了一次，给孩子们买了一盒蜡笔、一盒积木。

昨天早上，妈出其不意地问你的近况，她非常惦念你，有些焦虑，怕你出什么事，我对她做了很多解释，讲了许久，她才安下心来，神色正常了。

我和两个孩子在长乐路我家大门口合影，当时我 26 岁，已是三个孩子的妈妈了。
1953 年春。

上左 在长乐路我家南窗边摄，微风吹拂头发，笑看镜头，刚搬来，房间不大。

上右 外滩公园，背景是上海大厦，那时我正怀着小冬。1953 年秋。

下 家住长乐路时期最快乐的、也是唯一的全家合影。1954 年冬。

　　……保姆带小冬，俩人感情很好，小冬很黏她。明后天要给她去转户口，她和我年龄差不多，是农村童养媳，已与男人离婚，无亲属，又是吃素的，老实本分，找一个好的保姆真是不容易，大概一共看过十几个人，都不合适，这次总算是找了个称心的……

　　现已经十点了，家里很静，全家都睡了，就我一人伏在小圆桌上给你写信，今年夏天很凉快，是一个舒适的夏天，但是见到你，恐怕夏天已经过去了吧。真心希望我们能够共度今年的国庆节，自然我更希望过了八月份，你就出现在我的面前。

　　寄上的 25 元已经收到了吧，你说伙食费太贵，要省，我看不必，还是吃得好一些，你不在家住，每天来去的车费总可以省下，何况你身体不大好，因此不能再省，答应我。烟少抽一点，但可以抽好一点。

云 8.12

　　美好向往是一个个肥皂泡，飘在空中，飘在阳光下，不久就被击碎，我跌入漆黑的深渊。

　　十月八日这天，宣传部长找我谈话，对我宣布，维德是"潘案"成员，已被正式逮捕，并开除党籍，工资停发。天崩地裂的消息，令我全身发冷，四个多月的日思夜盼，等来的却是这个结果，我有生以来最大的痛苦和遭遇。我是天下最不幸的人，更不幸是还有三个孩子、体弱慈祥的婆婆，她已经六十五岁，她的独子维德三十六岁，我二十八岁，一家子忽然没有他，天塌了下来，今后日子怎么过？他又会是什么样结果？

我可以对谁诉说？谁能帮助我？连续几天，一阵又一阵心痛，我似乎变成了一个重病患者。环顾四周，家人亲友之中，无一人可以倾诉。在当时的形势下，人人对政治高度敏感，一切服从党，相信组织，任何人都不会同情我，没人相信我的眼泪。经历了一场狂风暴雨，人人都对我关上了大门，为了家庭和孩子，多给自己勇气，否则怎么生活下去！坚强才是唯一的出路。我把这些感受写在日记本上，勉励自己，坚信维德是被冤枉的，组织上一定会调查清楚，但要等到哪一天呢？

［日记：1955 年 10 月 15 日］

……星期日带孩子们去公园玩，他们天真地玩这玩那，跳跃、唱歌，我却提不起劲来。晚上看到孩子们熟睡的脸庞，不禁泪流满面。

我想了解他事情的全部，但无处可问，已不再有信送来，谁能告诉我他现在怎么样？一切无

从得知。我还得照样工作，强颜欢笑，我有预感，长乐路肯定住不下去了，我必须处理好生活，未雨绸缪，还得及早准备。

机关的一般干部，当时住江西中路一个大杂院，能去住吗？他的事还没公开，我如果搬去，人家会怎么想？脸面又往哪儿搁？想到陕西南路房子一直空着，决定还是搬到那儿去！上周我去大自鸣钟对阿姆说，维德调到北京，长乐路不便再住，我要搬回到陕西南路去住。母亲和兄长都点了头。有这个退路，情绪稍稍好受了一些。果不其然，总务处前天来电话，通知我搬家了。我回答说，十月底前我一定搬出。昨天一早，我到文化广场附近一家"老虎塌车"店，雇了车和两个工人，上午趁着邻居上班，把东西分两趟搬出，公家橱柜之类都留了，只搬去一张大床和小床。身边尚留有结婚时母亲给我用剩的 500 元……

［日记：1955 年 11 月 2 日］

……得知曾引为知己的 ×××，去京参加政法学习班已经回沪，我去电话请她来陕西南路，向她倾诉近来的遭遇，期待她的慰藉。我实在是过于天真了，她的态度全变了，冷漠至极，让我伤心不已。我们同窗多年，她父母早亡，家境贫寒，高一辍学即肩负生活的重担，我父母非常同情她的境遇，一直帮助她，包括为他弟弟当学徒做铺保，我也曾多次拿出压岁钱助她弟妹上学，1949年我妹妹发展她入党……那时我们亲密无间，无话不谈。解放后，她做私营统一纱厂的工会主席，我去该厂调查工会宣传工作，就发觉她有"高大"之感，但我不在意，不相信她已经变了，我们的感情毕竟是深厚的。我忘了我们之间已发生了政治关系，她是令人尊敬的工人阶级，我是资产阶级出身的小姐。在我最痛苦、最需要安慰的时候，她避之不及，急于和我划清界线。为此我非常痛苦懊悔，并下了决心，不能妨碍她，不让她为难，从此一刀两断吧……

［日记：1955年11月10日］

　　……以前下班回家，心中烦躁会看小说解闷，5日晚在床上看《列宁格勒发生的故事》，忽听到婆婆的气喘声，她的哮喘病发作了。以前发病，都由维德背下楼，叫三轮车送医院。记得有一次他手忙脚乱，一脚穿自己拖鞋，一脚穿我的红拖鞋出门。今天，这付担子由我来挑了，上下跑了几次，叫了三轮车，送到附近的淮海医院输氧。午夜一时逐渐好转，三时半放下氧气。6日出院回家……

[日记：1955 年 11 月 12 日]

　　……时常心痛，魔鬼一样纠缠。最近时常下厂，晚上回到家，一轮明月，万家灯火，人人合家团聚，唯我形只影单，在渺茫中苦苦度日。不知要持续多久？他无影无踪，总该有个结果吧。还能有见面的一天吗？要多少年？两年还是三年，心中要有个盼头啊……

　　神秘信使从此不再出现，再没有片纸来函。十二月了，西风阵阵，黄叶飘零。忽然有一天，我接到了给维德送冬衣的通知。我和他的老友郑巴奋，按地址找到了南市车站路监狱，门卫室有一个小窗口，我把衣物递了进去，报上维德的名字，窗内人毫无表情，一言不发地收下。我不知他是否被关在这里，当时什么也没问，知道问了也不会告诉我。多年后维德说，南市车站路监狱是一九四二年至一九四三年他被日伪关押过的地方，这一次他被关押的实际地点，是建国中路公安局看守所。

　　自一九五四年起，单位停发了他的工资，我为省钱，孩子不送托儿所，每月工资七十四元，应付全家六七个人，常常捉襟见肘。当时我已调入宣传科，因此向领导反映生活困难，要求补助。领导称，按规定每人每月生活费十元以下，才可补助，我已超过了标准，但是不久，也就安排我下班后给机关勤杂人员上语文课，每周三次，每次一个半小时，每月可得十元补贴。我接受了这份工作。

不祥的一九五五年，在磨难和焦虑中过去，我在忐忑不安中迎来了喧闹的一九五六年，无舵的小船，随波逐流，不知漂向何方。

［日记：1956年1月20日］

　　17日，全市在文化广场开工人代表大会，实行对私企的改造，场面热烈。

　　18日，郊区农民全部成立了高级社，下午敲锣打鼓到总工会报喜。

　　19日，全市手工业行业成立合作社，晚上工商界家属子弟也来报喜，

　　20日之前，全市私企亦将完成公私合营，我们到楼下列队欢迎，明天要游行，全市联欢三天，市工人文化宫、各区俱乐部请老板们一起联欢，人人都在欢欣鼓舞，整个上海要进入社会主义社会了。

　　我很激动，国家欣欣向荣，前景一片美好，与此相比，我个人这些痛苦又算得了什么？虽家庭遭遇不幸，生活水平降低，但不能由此影响对祖国的爱，否则我将变成什么样的人？要

鼓励自己。在这欢腾的日子里，我的内心感慨而遗憾……

春节应该欢快，初一向母亲拜年，初二到农村访问，带孩子们看了场电影，陪他们去第一百货商店乘自动扶梯。令我快慰的是，机关给我提了一级，每月工资增加到八十三元，这样，加上教书费十元，我每月有九十三元的收入，家中窘困得以缓解，可以应付开支了。

这年上半年，宣传科在打浦路工会干校，举办了一次工会宣传干部学习班，我担任组长，写了一篇工会读报组的调查报告，在学习班上宣讲，得到十元奖励，学习班结束后，路过淮海路妇女用品商店，我给自己买了一件卡其高支棉的藏青色外衣，花掉了这十元钱。

不久，全总邀请东北作家一行赴各地参观，十月到达上海，上总负责接待，在名单中我看到熟悉的名字"蒋锡金"，当晚上总六楼开欢迎会，我托人带口信，请他来办公室，蒋见到我非常高兴。

翌日晚饭后，陪蒋先生去淮海路购物，他在妇女用品商店给夫人买了几件服装，我买了个小皮包，然后去附近一家咖啡店叙谈。一九四五年他仓促离沪去解放区时，我把手上一枚金戒指换成现钱，后来我没去成，此钱给他当了路费。[1]如今他是东北师范大学二级教授，工资两百多元，手拿"司的克"（手杖），丝绸衬衫，风度翩翩。七年后的师生重逢，像有很多话要说，也不知从何谈起。他已不是当年建承中学的老师，我也不是天真烂漫的高中女生。一年多来，我已历经风雨，见识人情冷暖、世态炎凉，内心已更坚强，不需要托出不幸，博取他者的同情。我只说是不凑巧，维德去京出差了，不然认识一下该有多好。这话显然不只是对蒋说，每当亲友相聚，我总会不由自主地想起维德。不知今日此时，他在何方。

那年晚秋，母亲和兄嫂侄辈一家邀请我和芒芒，一起到鲁迅公园游玩。芒穿了一件改做的绿色薄呢大衣，和大家玩得非常高兴。中午，大家在四川路一家餐馆吃饭，侍者送菜上桌，菜汤不小心泼到他肩袖上，衣服弄脏了，还好没有烫伤，大家非常扫兴。难得的出游，内心的阴影每时每刻都追随着我，心里既欢喜又难受，顾及家人，我只能把一切装在心里。

1　锡金《新文学史料》四辑（1979年8月）："我的关于埃及《亡灵书》的译稿，也是由那时参加'行列社'活动的姚云同志保存下来，上海解放后她又寄给我。"

四

一九五六年即将过去，我每天都在等他归来，但无期无踪。那晚我把思念写下来：

[日记：1956 年 12 月 27 日]

去年他母亲病重住院，今年又病得不轻。上周日住院，至今不见起色，我担忧不已，不知下周能否痊愈出院，让我焦头烂额，愁上加愁。

去年一年痛苦，原想今年会好些，但让我失望。如果他能回来，我什么都不怕了，拙笔不能道出我心情之万一。

哪天他回来了，就会给全家带来欢乐，我还得等，等很长的日子……希望就在明天，他在我眼前出现，可能吗？好漫长的日子，好窒息的日子！

时时刻刻思念你，想得好揪心，梦见你多次，醒来泪流满面，最好一直生活在梦中，不要醒来。

多么需要他，孩子们需要他，妈妈需要他，家需要他！

他一定也需要我们的！

上天知道我的哀怨，有了感应，在凄风苦雨的一九五六年将要结束的最后两天，终于放晴了。

十二月三十日，我随科长到苏州河对岸的大隆机器厂调研。中午在苏州河岸边一个面摊，吃菠菜肉丝汤面，回到工厂，接到上总宣传部找我的电话，通知我立即回家，维德回来了！

我的手在颤抖，心在欢笑，偷偷抹去眼角的泪水，我盼到了他，他终于回到我的身边了。我急忙往家里赶，在弄堂口的"时季花店"门旁，正好遇见了他，他还穿着那件离家时的藏青色中山装，颜色已洗得发白，右手拎着一个网线袋，脸色黝黑，身形消瘦，微笑着向我走来，我俩四目相对，双手紧紧相握，默然无语。

我们马上去淮海医院探望他母亲，又去西康路"大自鸣钟"我娘家，接回芒芒。见面后，孩子一下愣住了，可怜的孩子，已有一年半没见到爸爸，怯生生看着他，仿佛见到陌生人，我在一旁心酸不已。

真是喜悦啊，他回到我们身边，令人快慰、庆幸，一家人终于可以团圆。

我以为一切会恢复原状，想得过于简单了。维德的结案，留了一条长长的尾巴，他在地下工作期间属潘汉年系统，就有了牵连，虽查不出与"潘案"有更具体的内容，仍然被开除了党籍，调轻工业工会当一般干部。

　　"日子是幸福的，也是痛苦的，我能和家人团聚，能有紧张的劳动和安谧的休息，再也没有比这更好的了；痛苦的是背负着那些日子的回忆，不断地给我以刺激，几乎每天自我责备，每天都提醒自己受了严重的处分，在苦痛中煎熬。"

　　"想着先贤的教益，沉重的石块就会被搬开，心里渐趋安逸，不管人们如何鄙视与议论，总觉得有一只温暖的手紧紧地抓住我，给我指出方向，给我以无限鼓励。我仿佛换了一个人似的，变得那么快，也那么强大，我所走的道路是不平坦的……考验无止境，我有足够信心，会工作得很好、很愉快、很满足。打碎一切腐朽的东西，重新建立起的会更好些，人没有希望怎么生活呢？"

　　"2月18日正式去工作，迄今两个星期，一切那么生疏，开始很焦急，现在总算安定下来……两周中下了好几个厂：新华橡胶厂，泰康食品厂，大中橡胶厂，了解工厂的生产过程，观看工人的紧张操作，他们特有的坦率谈吐，使我觉得温暖与愉快……生活在工人中间会实际得多。"

　　"如何安排自己的时间，看辩证唯物论后对

哲学产生较浓厚的兴趣，学习与研究古典文学，主要是诗，对它有兴趣，从研究杜甫着手……三月份抽时间去图书馆找材料，上半年一定把方向确定。"

"回家四个月，工作两月十天，五一节就要来到，去年此日，闻《国际歌》而默然下泪，今年要好好度过这一日。"

这一年，"反右"运动如火如荼地展开，机关号召大家积极参加，对党提意见，大鸣大放，写大字报，维德却不慎跌伤右臂，在家疗养。这件坏事，却成了好事，他避开了反右运动的高峰期。

［维德日记摘抄］

"中秋前夕，云与孩子参加晚会，我独坐在家颇有情趣，窗外皓月一轮，确是良夜。损右臂已两周（后弄堂有口井，晚上回家不慎跘到井沿，摔倒，手臂扭伤甚重，请假看医生，无法上班），近稍愈已能写字，申诉报告日前送出，静等回音。这几个月开展的反右派整风运动，单位的鸣放、批判都未能参加。"

"整风已进入争辩阶段，11月28日正式销假，手未愈，吊着右膀上下车，极不便。争辩甚热，我了解这是一场斗争，不能闲在家中，转入正式反右，组织部开一个小组会，党邀请我参加，思想上颇感温暖。"

维德的伤情，从臂部一直连带到肩，数次就医不见好转，一次去沪上伤科名医石筱山（上海家喻户晓，只要提此名号，三轮车夫就能送到连云路"石氏伤科诊所"）处求诊，一屋子人，石氏瘦小，几个徒弟伟岸魁梧。诊判结果是"筋络黏连"。石说，来我这里医治，是要硬来的，非常痛。维德称以前他受过刑，不怕痛。石点点头，一高大徒弟就在背后抱紧了他。石双手拉过他的手臂，摇了几摇，猛然用劲，一扯一转，只听肩膀内"嘶啦"一声裂响，剧痛中，他忽然觉得一丝轻松……

维德痊愈了，回机关上班时，看见有人还在写大字报。针对当时的浮夸现象，某天他写了一打油诗：

流动红旗似火红，

可惜红旗不流动。

不是红旗想偷懒，

无奈竞争一阵风。

且一时兴起，竟把此诗写成大字报贴了出去。如今回想，这是极其危险的举动，这些句子，完全可成为"恶毒攻击"党的证据，但此刻已是运动尾声，没有引起机关和同事注意。另一种说法是，因他有过多次热爱党的发言，被认为是"对党有感情"的表现。老天保佑他逃过了一劫。

到一九五七年末，机关动员大批干部下农村劳动锻炼，人人报名表决心，我也写了申请报告，不久就被批准下放劳动，同时被批准的，是席裕珍和凌华媛，下放地址在市北的大场镇沈家楼，一个名叫"东方红农业合作社"的地方。

一九五八年一月五日，我带着简单的行李出发了。那时从市区到大场镇，是乘58路公共汽车，沿弯弯曲曲的沪太路向北开行，过中山北路，两旁是大片菜地，冬日虽然满目葱绿，但空中不时飘来粪肥的气味，有点煞风景。车到了行知路车站，步行经过行知中学，再走十分钟的田埂小路，到达了目的地沈家楼，单程约两个小时。

按照规定，我只能两星期回家一次。工会系统的下放干部，编成了好几个分队，每个队员都被分配到农民家，同吃同住同劳动。我和凌华媛住在农民仇囡囡家，每天早晨六时出工，一天干十几个小时农活，有时赤脚泡在冷水里，晚上回来，腰酸背痛。

房东沈泉生，妻子仇囡囡，都是贫农，沈三十不到，中等身材，长得微胖，一双小眼不时眯缝着看人，有点好吃懒做，经常睡懒觉，有时早出工，我们都起来了，却听到隔壁的他鼾声大作。他家有不少地，此时已经合作化，由于干活"不巴结"（不努力），工分挣得比别人少，生活拮据。我们早晚两顿吃粥，中午吃一顿"洋籼米"（糙米）干饭，虽然每月按标准给他伙食费，可他家的饭仍然是菜少油少，难见荤腥，中午常吃清煮胡萝卜。仇囡囡操持家务，照顾两个孩子，还要下地务农，非常辛苦，每一次她端出胡萝卜，就笑得很尴尬，有些不好意思地看着我们。席裕珍则被分配在一个富农家，该户专事"发"豆芽菜到镇里去卖，生活相对富裕一些，伙食比我们好。

自小到大，我生在城市，只在南京军大过了近一年的部队集体生活，从没吃过这么多的苦，让我第一次感受到农村生活的艰难，农民生活的不易。

人在农村，心在家里，每天我急切盼望的，是两周一次的假期能尽快到来。每一次回家就像过节，家人相聚，其乐融融，但往往椅子没坐热，又要匆匆离别了，总是感到不满足。家事根本没办法管，芒芒已经在茂名南路第一小学读一年级，我曾到校请教老师，在母亲离家的情况下，怎样才能让他健康成长，长此以往有否问题。我心里非常不安。

那时维德仍在轻工业工会，经常下厂搞调研，风浪从未平息，他内心的伤痛不会痊愈，我把家务全推给了他，实在是难为了他。而他却一直鼓励支持我，让我放心参加农业劳动，不要牵挂。这是长期的艰苦锻炼，要我稳下心来，长久打算，不虚度光阴。

［维德日记摘抄］

"云今晨下乡，这是一件大事，新鲜事物摆在面前，锻炼固然艰苦，更需要自我改造的自觉性。

……57年过去了，像擦了一根火柴似地转眼消逝，工作很不顺手，没什么成绩可言，思想不稳定，每时每刻想到过去的那一切，苦痛万状。我不甘心沉沦，挣扎着不愿被巨浪吞没，求生必须划到彼岸，我没有学会在激流中游泳，觉得筋疲力尽，忽而沉下，忽而浮起，需要切实的援手，来拉我一把。

……孩子们已甜睡，舒舒先睡着了，芒要求讲孙悟空，我说要吵醒弟弟，明晚讲吧，他听话也睡了。也许此时，她正在在油灯下开会，明天一早就要出工，也早点睡吧。"

"今日去上烟一厂，下车间了解香烟生产过程，一车间空气混浊，充满辛辣的烟味，黄色尘雾中，运送烟叶的小车辘辘滚过，抽梗机嚼着叶子，像吃鱼，把骨头不断从齿缝里吐出来。切啊，切啊，刀片飞跃着，黄褐色的烟叶被切成无数的烟丝，像黄土般轻柔，躺在传送带上，飞奔前去。一支烟的生产过程很复杂，恍然觉得半截烟尾也

上 1957 年末，机关动员大批干部下农村劳动锻炼，人人报名表决心，不久我就被批准了，同去的有席裕珍和凌华媛。

这是欢送会后在外滩的合影，左凌华媛，右席裕珍。孩子们还小，需要照顾。我头绪纷乱，愁眉不展，心情并不舒畅。

下 1958 年下乡不久摄，女五男八，都是下放干部，还有一位对襟衫戴毡帽者为当地农民。大场镇沈家楼"东方红农业合作社"留影。左为老乡仇囡囡家。

上　1959年，市建委在湖州小梅口建水泥厂，维德被调去筹办，我决定一起去湖州，申请很快被批准了。此照摄于湖州厂区，中排左二是我，时任化验室副主任。

下左　在上海水泥厂"实习"，时年33岁。1960年2月。

下右　湖州水泥厂筹备处，在上海外滩广东路一大楼里，我每天在此上下班。公家买了这张月票，价6元，月内可乘市内所有的公交车辆，上车向卖票员出示即可。

不应该丢掉它了。

　　水汀热得闷人，有工人打赤膊干活，女工们下班了，脱了衣服躲在在小屋的帘子后面洗澡。室外是严冬，这里是初夏似的潮热。

　　厂内的新老矛盾很突出。老工人说：'我们老了，不会再生孩子了，托儿所、幼儿园、结婚新房，这些都只给年轻工人们享受，没我们的份，看医生也不习惯。'厂里最服从调配的，却只有老工人。新工人拈轻怕重，调皮捣蛋，但调皮的人反倒占了便宜，新工人一进厂就定三、四级，老工人干了二十年也同小伙子定一样级别，太不公平。然而，新工人也不服老工人……"

　　"星期日，清晨孩子们吵着要去买鸟，九时微雨，我带着芒准备去城隍庙，出门不远，忽然看见云微笑着迎面走来，这简直让我不相信自己的眼睛，她去才一周，脸色黑些，也累，有一点泥土气，真是一个令人喜悦的星期天。

　　"农村生活是艰苦的，过这一关要下极大决心，这不像一般人想象的义务劳动那么短暂，下乡是长期的，坚毅地度过这一难关，才能茁壮成长，人最需要的是坚强的意志，充足的干劲，有了这些，世间无难事矣。

　　……下乡有重大意义，尤其一些没经过艰苦

岁月考验的干部们，更需要补这重要一课。明日又将小别，舍不得离开她，然而必须送她走，必须鼓励她，经历这个考验，因而感情更浓厚了。"

"拂晓即醒，城市严冬的清晨寒气袭人，晓雾如烟，车辆灯光微弱，马路上空荡荡的，上早班的工人都搭车去远处上工，我送云到车站。"

"今晨与芒到公园呼吸新鲜空气，上午九时，突接云电话，实属意料之外，她明日想回市区看病，也担心这样请假影响不好。我说为长远打算，要工作好，先把病治好，拖延不治病是不对的。我在城里比云舒服太多，比农民舒服太多，要加强自身锻炼才是。"

"昨晚与云谈全市的状态，她在乡下，缺少机会学习，没有市区那么紧张，我背着沉重的思想包袱，还没从苦闷里摆脱出来，但仔细一想，如何能避免别人对你产生看法呢。不去计较那些心眼偏狭、心术不正的人吧，原谅他们的短处，拿出一点气概来，让自己的胸襟再宽阔些。"

一九五八年是狂热的年代，"大跃进"口号铺天盖地，"赶超英国"，钢产量要翻一番达 1070 万吨，马路上的高音喇叭整天播放激昂的大跃进歌曲，连芒芒也学会了，回家就唱"1070 万吨钢，呀呼嗨！ 1070

万吨钢，呀呼嗨！一吨钢也不少，半吨钢也不少……"
全市都"土法上马，大炼钢铁"，工会系统也搞了土
高炉，炼起了钢，维德被抽去炼钢，他变成工人，我
变成农民，我俩真正地"工农结合"了。

[维德日记摘抄]

"3日报到去炼钢，开始劳动生活，下午运
柴泥和焦炭，坐在车上活像搬运工人。焦炭在张
华浜，去后找不到煤建公司出货。车站有大批家
属搬生铁，暮色苍茫的车站中，一片铁块撞击
的声音，到处有人运焦炭，到后来也不称重了，
大家用手抓，八时半始运回。"

"被分配当转炉工，第一次上转炉有点紧张，
怕出事故伤人，但操作过几回就有数了，下午共
出钢17炉，直到熔炉烧穿停工。不觉得太困难，
但很疲乏。"

"上午九时半出第一炉铁水，今一共炼38炉，
忘了饥饿，直到下午三点钟才吃饭。我的工作离
不开转炉，出钢的钟声每五分钟一响，美丽雄壮
的钢花在我面前爆发，如同下金雨一般的壮丽。
双手抓紧操作盘，任它狂风暴雨，像一个舵手航
行在金色的海洋上。"

与此同时，我在沈家楼的农田里耕作不已。每天
早晨五点半，村中响起了预备钟声，我点起油灯，起

床洗漱，六点出工，太阳还未升起，天色微明，晨风凛冽，我走到田头，露水早已湿透了裤脚，干了一个多小时，浑身已经微微出汗，七点半回来吃早饭，然后再下地，干到十一时四十五分，午饭后一点下地，一直做到晚上六点，在暮色苍茫中回到住处。一天下来筋疲力尽，晚上躺下就像死了一样。

有一次下午挑河泥，劳作单调，我耐力不够，到放工时，路都走不动了。劳动可以锻炼意志和毅力，我咬紧牙关坚持，双手磨出了老茧，三个月后我欣喜地发现，竟然能跟上大部分人的节奏了，一般农活也能熟练应对，驾轻就熟，比刚来时进了一大步，成就感大增，这坚定了我的信心，我相信今后会做得更好。

那时全国开展"扫盲运动"，沈家楼大队，农民文化程度不高，队部成立了扫盲学校，他们不知从哪里了解到，我曾做过上总夜校语文老师，要我去业余学校做语文老师，可在上工时去上课，同样记工分，我有经验，也很有兴趣，因此就同意了。

[日记摘抄]

"业余中学 29 日开课，举行开学典礼，聘我为语文教师，参加校委会，我表示愿意教课，本想教夜校，自己没时间和力气。队里表示，可在日常生产时间上课，那就没有任何问题了。"

"晚去夜校扫盲班，第一次读报给农民听，来人虽少，但很安静，听得仔细，自己也兴趣大增。今天风大，又去夜校，等了半天没人来，只好自己回来了。以后晚上有空，还是要坚持去。"

"本就喜欢文学，现教初一语文，如果教高年级，大概更合我意，问题是，我不是师范出身，如何讲得通俗易懂，学生能听进去，尽快提高他们的文化水平，是今后努力的方向。昨去行知中学，找几位有经验的教师请教，大有收益。"

"6日开始一周'突击扫盲'，农民的文化程度参差不齐，社队领导要求百分之百完成，但一星期下来，考试合格率只40%，我很失望。"

"这几天农忙，学校组织中学生参加劳动，小学生也要去割草，家长意见很大。大家说既然交了学费，就该上课，如果还是种田，读什么书呢。"

大跃进年代，一切政治挂帅，群情激昂，人心亢奋，正从事"前人未做过的事"，报纸、广播连篇累牍报道"一天等于二十年"的奇迹：粮食亩产超千斤，超万斤，甚至亩产"超18万斤的水稻试验田"！沈家楼合作社紧跟形势，每晚队部灯火通明，召开会议，有时挑灯夜战，开到午夜一时半，提出口号："抓晴天，抢阴天，大风大雨当好天，起早摸黑接着干，月光底下当白天"，"跃进，跃进，再跃进，棉花亩产达到3000—5000—8000斤！"这里土地多，劳动力少，六十多人要种四百五十亩地，大部分是菜地，小部分种小麦、棉花，当时棉花亩产连一千斤都不到，我担任棉花组小组长，自己没有技术水平，心里着急。因当时强调种粮要深耕，连续几天开夜工，垄地挖泥到三尺深，有一次挖了整整一夜，凌晨才收工。

［日记摘抄］

"八月，天气真热，种棉花很具体，需要付出汗水，不像坐机关高高在上，几年来对工作的艰苦性实际体会少，尤其流汗的劳动，现在不同，棉花增产必须亲手做，切切实实，耐心艰苦，在炎热的太阳底下施肥，人要钻到密密层层的棉花枝下，弯腰曲背，一手拿铲，一手抓肥料，一把把撒到棉株之间，衣服被汗湿了又湿，比锄地辛苦多了，施肥不算，还要整枝'摸耳朵'（手工整枝），为完成任务，领导支持，肥料也领得多，提高产量就有了信心。"

"这两天患'粪出手'，手都肿了起来，农民说，手接触地里的粪，难免会肿，这几天为棉花施肥，大概手上有伤口，不慎接触了粪肥所致。"

"天气奇热，钻在棉花田里整枝，浑身出汗，对劳动的艰苦性更有了实际的体验，21日发现，地里有蚕一样大的毛虫在吃叶，急忙用筷子去夹除。"

"9月2日晚将睡觉，忽然被通知去乡里开会，回来已是半夜，第二天凌晨3时出早工，雨中搭棉花棚，7时半回来吃早饭，已是浑身淋透，过去我最怕淋雨，如今大雨也不顾了，想不到变化如此之大。"

村里干劲冲天，但生产工具落后，分配制度不合理，生产力和生产关系不相适应的矛盾，逐渐体现出来，合作社提高了生产力，但合在一起的农民，意见不统一，为新生事物意见相左，经常发生争吵……

[日记摘抄]

"由于蔬菜生长快，人手不够，农民都被叫去'行菜'，有农民陈阿二，是典型的中农，精明会算，今天偷偷地对我说，棉花地里干活太累，工分又低，是'中工'，他不愿意干，情愿去'踏水车'，活轻松，工分还高。工分总是定得有些不合理，农民都不愿意种棉花，棉花田里人少，大多是下放干部在做。"

"最近宣传，即将成立人民公社，昨开大会

宣布，实现公社食堂化，到 9 月，90% 以上社员要参加，很多社员心里不愿意，有反对的意见。村里分成两派，女社员张相宝在两边群众中有一定威信，最近还参加了县里的万人大会，她对我说，她姐姐那里，两个月前就成立食堂了，大家反映方便多了。经她这么反复说，很多妇女的思想就通了。"

"农民群众对人民公社情绪高涨，王根娣（贫农）干劲真足，白天出工，中午烧饭，晚上加班，踏水车整夜，第二天连着干，值得大家学习。昨天她说，仇囡囡磨洋工怎么办？大家说，以后再这样，会有眼睛看住她，会对她提出批评。"

"公社要实现军事化，集体化，要求青年们住集体宿舍，有人欢迎，有人反对，还有人不愿意住楼上，要住楼下……社里正酝酿收回自留地，或由食堂、托儿所包下来种。对回收自留地，大家也有几种态度，仇囡囡愿意交地（反正她很懒），但一些勤俭农民往往犹豫不决，别人不交，我也不交，有抵触情绪。昨召开社员大会，全体社员投票通过，自留地仍旧保留，但不准在出工时去种……"

在沈家楼这一年时间，我做遍了所有的农活，变成一个名符其实的农民。基本农活有："捉花"、"摸耳朵"（棉花活）、耘草、种菜、铲地、深耕、割麦、车水、挑河泥、"晒耘"等等，不一而足。除此外还有五花八门的零散活计如：工分统计、民兵统计、写材料、写大字报、开整风会、接待市北中学学生、教书、协助扫盲、帮助食堂结账、搞沼气、采购沼气管、到乡里开会、到汶水路（当年无此路名）筑路，等等。十二月十三日，我还参加了全市性"捉麻雀，除四害"运动。

一九五八年是全国农村"公社化"的高潮之年，我下放所在的沈家楼农村，是这一历史的真实见证。在这短短的一年时间里，它从我当初下乡时的"初级合作社"逐渐演变成"高级社"，然后又成为更高级的"农业合作社"，直至建立"人民公社"。我亲历这一特殊历史时期的变迁。

五

一九四九年后，"老宝凤"银楼改名为"宝凤"百货店。一九五八年，"宝凤"百货店按政府要求，变更为"公私合营"方式，店名改为"长春"百货商店。（领取定息："宝凤"定息二百四十元，另一商业"新泰源"布庄一百零二元。）当年我父母购置的房产[1]，逐渐被政府收去，不再属私人所有。居住在"老宝凤"楼上的母亲和大哥一家，在这年也举家迁出，搬来陕西南路的房子，住三楼。

我家住陕西南路房子的二楼，两个男孩和我们住朝南一大间，北面亭子间由婆婆和保姆、小冬居住。二楼走廊对面两间大房，中有移门，拉开可以成为一间极大的客厅，放置了红木八仙桌和靠背椅，平时是母亲、大哥一家的饭厅，走廊朝南有宽大的石扶梯，两侧园子里有几棵高大棕榈树和大叶冬青，园南为大门，平时上锁，一般从后门进出，厨房在底楼，装有煤气，汽车间堆放杂物，底楼西南一间，由一远亲借住。

母亲和大哥一家迁来后，打破了这幢大房子往日的宁静，大哥家人口多，上下充满孩子们的欢声笑语，也因为喜欢"金伯伯"，常下楼来我家玩，有时缠维德讲故事，他与人为善，喜欢孩子。我婆婆慈祥谦和，我们和兄嫂家相处和谐，从未发生过矛盾。有年冬天，婆婆哮喘病突发，我们都不在上海。我大哥背着婆婆

1　父亲曾经向叶家兄弟买下原盐业银行房子（地皮只买一半）、沪西草鞋浜一幢三层楼房（其中一间曾无偿借给复旦地下党员王丹心，作为党的联络站，解放后王任江苏省委主任，曾来信感谢，另一间由我妹姚舜英借给沪西棉纺厂地下党同志住）、澳门路裕德路各有三排房子，以及1942年用64两黄金购买的宁波土地（慈溪车厩祝家渡49亩）。

上　三个孩子合影，我俩在湖州，他们由我婆婆和保姆照看。1960 年秋。

下左　小冬 7 岁，跟一位陌生叔叔坐船到了湖州，为的是看妈妈。

下右　虹桥吉安扫墓，1963 年清明节。

左　全家合影于陕西南路居所，我们当时还未从湖州调回上海。1962 年春节。

右　兄妹四人合影，院里有高高的棕榈树。左是大哥，右弟弟新祥、妹妹舜英。新祥新婚不久，背后百叶窗的屋子是他的新房。

下楼，阿嫂陪同急送医院抢救，转危为安，为此，维德非常感激。

时间转眼到了一九五九年，市建委在湖州郊区小梅口，兴建一座水泥厂，设备从捷克进口，招当地农民做普通工人，技术人员从上海水泥厂调配，行政干部也由上总抽调。维德被调去筹办这个厂，我决定也一起去湖州，申请很快被批准了。

当时有一些干部全家搬去了湖州，并迁去户口。我们商量后也有了这个打算，为此我做了不少香肠，挂在走廊里做准备。一次我遇到同去的周德清副厂长，他规劝我别这么做，这才作罢。

三月，我告别沈家楼，结束了一年多的农村下放生活，回到市区。湖州水泥厂上海筹备处位于广东路一幢大楼里，我开始每天在此上下班。当时工厂主要的回转窑设备，还在捷克待运，基建工程已经上马，物资还未备齐，我负责向市计委、物资局等单位申请调拨建设材料。维德则先去湖州，配合地质队勘探取样，再到上海化验，因此他时而湖州，时而上海，经常两头跑，虽然生活没规律，但离开了是非圈，比较充实，精神饱满。

不久，办事处搬到设在华懋饭店（现和平饭店南楼）建工局机关的二楼，我跑计委、物资局、金属公司，写申请报告、要材料分拨单，非常忙，内心不甚喜欢这工作，但干也得干，不干也得干。

一天在楼下食堂吃饭，看见建承高中的女同学××，读书时她比我高一年级，我们曾经非常要好，她家在北四川路桥堍开一个单开间西装店，我去过她家。一九四三年秋她要去根据地，我去看望她，临走前送她一双银筷以作纪念。这年冬天，突然传来她牺牲的消息，我悲痛万分，特意写了一篇文章悼念她，谁知她并没牺牲，多年后竟在此见到。她没认出我来，因时下处境，我也不便贸然相见。她已是正处级干部，在同一幢楼里上班。有一天，我托人转告了她，我在二楼办公，却未见她反应。一次我就上楼找她，本以为见面时她一定像我那样惊喜，但我又错了，她极其冷淡，连声敷衍，我仿佛当头被浇了一盆冷水，这是我没汲取以前的教训，我的心又被重击了一次，久愈的伤口又开始流血。此后因为工作，我和她见面数次，在北京出差、在"五七"干校都遇见过，我学会了淡淡地对她，如同陌路，尽量不说话。

一次我在楼下，准备下班回家，忽听到有人叫我名字，原来是与维德在水上区一同工作过的范达夫，这时，他已是建工局副局长，他非常关心地安慰我说："你心里别难过，老金的事，最后总会解决的，组织上一定会调查清楚的，你要耐心，要好好照顾孩子，当心老金的身体……"听到这几句温暖话语，我如沐春风，不觉流下了热泪。在那些灰暗的日子里，总以为人心已死，事实告诉我，人间自有真情在，我们有这样一位真正的朋友。

这年七月，厂方任命我负责化验室的工作，他们以为大学生就懂化学，就能把好技术关，其实我的理化知识极短欠，是赶鸭子上架，也只能接受这任务。

水泥从原料到成品，每个流程必须取样，进行化学和物理检验，以符合行业标准，这是工厂的重要技术部门，我必须重头开始学。先派我去上海水泥厂化验室"实习"，每天乘厂车到龙吴路上海水泥厂上班。化验室主任对我很冷淡，没人主动帮我，我只能和化验工打交道，抄录大本技术资料，困难极大，时患胃病，常在下班路上呕吐。

仔细看着资料，观察化验工如何操作，了解化验取样过程，跟着上夜班。一次湖州厂领导召集在上海水泥厂学习的负责人开会，要我记录并向上级写报告，四处找不到我。有人说我上夜班，已回家休息了。后来厂领导对我说："你是去学领导工作的，怎么下车间做夜班了？以后别做。"

一晃四个月，我对水泥化验的整个流程有所熟悉，掌握了技术要领，不再是门外汉，有了底气，对这工作有了信心。

一九六〇年二月，我正式到湖州厂上班，维德搞总务，上海湖州两地跑，家里由保姆照顾着三个孩子和婆婆。这年年初出现了大饥荒，连上海这样的大城市也供应紧张，粮食每人定量，食油、猪肉更少得可怜，每月凭票供应，菜市场空空荡荡，只能买到卷心菜的老菜帮子，大家都吃不饱，面有菜色，维德两腿浮肿。陕西南路里弄有个居民食堂，我家偶尔也在此买饭。有次老金回家，顺便查了一下家里的粮票，吃惊地发现，保姆没有计划用粮，不到月底，这月粮票都快用完了，到下个月还有好多天，该怎么办？难道全家挨饿不成？他急忙买了个大号铝锅，仔细分配家中余粮，每天煮一大锅稀粥充饥，才度过了难关。那时的保姆叫孔妈，她每次去弄内食堂给孩子们打饭，婆婆总觉得端回来的饭分量不足，初以为是食堂克扣，一次孩子在窗口看到，孔妈端着两大碗饭，边走边舔食，怪不得饭总是平平的，也难怪她，都吃不饱啊！此后，婆婆就让孩子们自己买饭了。

鱼米之乡的湖州也在闹饥荒，厂里按各人不同的劳动强度定粮，一般人每月定粮二十六七斤，体力劳动者稍高，为三十多斤，由于粮食不够吃，厂里组织了一批人开垦边边角角空地，种山芋、土豆。八月收获，每人分到一些，土豆小得可怜，有的只有鸽子蛋大小，我每天住在化验室里用电炉煮着吃，倒能吃得饱。

水泥厂的自备电厂发电了，进口设备已经运来，回转窑开始生产，但反反复复不太正常，水泥质量不稳定。化验室有二十个人，都早于我到厂，工程师、两位主要技术人员和老师傅都从上海水泥厂调来，其余是青年学徒。群众反映上海来的技术人员很保守，不积极教当地学徒，技术人员强调专业，领导对他们有看法，也担心他们接受不了批评，我上班后要做双方工作，矛盾却总是存在。

一九六一年元旦那天，我和维德去了一次陈桥镇，爬上了厂后的黄龙山，登山远眺，只见蓝天白云，满山苍翠，山坡上星星点点，仿佛开满野花，一条蔓延的黄土小路，通向山下的陈桥镇，远望村里炊烟缭绕，一派旖旎景象，可我心情沉重，生活不正常，与孩子们长期分离，没有欣赏美景的闲情雅致。

这一年，厂领导把维德调去了上海办事处，顺便可照顾家。我独自住工厂化验室小间。晚上全厂人员下班回家（宿舍在厂门外的半山上），除一个门卫，偌大的厂区只我一人独住，现在想想，我当时是胆大包天。有天早上，屋里出现了一条小青蛇，我也并不害怕，让它自由自在地溜走。我住了一年多，平平安安的。

年底，化验室小徐到上海出差，我托他回厂时把女儿小冬带来，那时小冬只有七岁，我俩睡在门房后边的小屋内，她胆子小，像小尾巴一样地跟着我。有一天下着小雨，我去发电车间有事，让她暂时待在房里，但她不肯，一直跟在我后面，路上要跨过一个小水沟，她跨不过去，就不住地哭，我只能把她抱了过去。

然后，就是我带小冬回上海过春节，先是坐航船到湖州城里，再搭乘小火轮回沪。这班船票卖完，只有散席票，我们只能坐在甲板上，天黑了，我们找个地方和衣躺下，昏黄的灯光下，甲板睡满了人，过道挤满了人，是活脱脱的一艘难民船。那时粮食困难，我饿着肚子，身边只有一罐花生酱想带回家，不舍得吃，只把搪瓷杯里的冷饭舀给小冬吃。半夜我去上厕所，回来发现，我们睡的地方被人占了，我让对方搬开，为此大吵了一顿。天色微明，船到了上海十六铺码头，看到了熟悉的海关大楼在晨雾中隐现，我的心情才好起来。

地方国营湖州水泥厂

湖泥申字第 112 号

市计委物资处：

主任、厂长：

化验室用 知了水泥压力试验模 140号 8字
抗折模 240元，及石膏破碎机锥子 1405元。已请
铸锻的协助加工。请 知化验室转行决处，高带
报主铁 1吨，约采 850公斤。 让风机油咀空气
机厂同意加工。一只材料由 请方转实，另需螺钢 8
□ □ □ □ □ 2KW 10KW 电动机各一台。白铁
皮材料 60斤。 以上事次 林楼 请予 大力支持
协助决。

此致

敬礼

曾俊□□市物资□
全系意、机电支联系，
予 以 铁皮务动协决。

王映华 六.4.2

□□□同志：
湖州水泥厂压力试验模
制造用且 850公斤造生铁
□公司 水泥剩用料项下拨
给力听 好

□□□

厂 址：吴兴县环城区白雀乡溇净村　电话：525
办事处：浙江省湖州上北街20号
电 话：424　电报挂号：9876

我写的湖州水泥厂请示公函。

一九六二年夏天，孩子们都在十岁上下，我想让他们来湖州度暑假，这把他们高兴坏了，维德把三个孩子送到码头，再三嘱咐注意安全，并拜托同船客人照顾，他们果然懂事，坐了一夜的船，平平安安来到湖州。第二天一早，我在湖州码头接船，几个月没见面，他们围在我身边，叽叽喳喳，兴奋不已，我们再坐航船经南浔到小梅口，步行穿过纸浆厂，才到了我厂。在航船上，舒舒睡着了。芒芒说，昨天弟弟上船就东看西看，兴奋得一夜没睡。

我们一起住宿舍大房间，房前种满了向日葵，天气闷热，生活琐事全由我料理，到食堂买饭、洗碗、洗衣、洗澡、防备蚊子苍蝇臭虫，整天忙得不可开交，汗流浃背。两个男孩顽皮，不大照顾妹妹，径自去各处游荡，不愿意带她，害得妹妹在房间里哭。有次兄弟俩走到矿山，坐上了矿山平板车，顺轨道向下滑去，万一车辆倾翻，后果不堪设想！幸好被工人及时阻止。另一天，突然有同事告诉我，说你孩子昏倒了，芒芒在太阳下晒得过久，以致中暑，我大吃一惊，背着他跑到医务室治疗。最令我头痛的是，他俩在化验室里乱动仪器，乱翻办公桌，有人反映到厂领导，我挨了顿批。

在这一年，工厂生产未能上去，不死不活，似乎就要下马，虽然这个厂全由上海出资，但上级已决定把它转交给浙江方面经营。不久，上海来的主要厂级干部和几个科长悄悄调回了上海，说实话，几个主要领导对在湖州的工作，本来就是心不在焉的，平时难见到人影，这次如愿了。接下来全厂人员精简，老工人也回乡了，厂里人心思动，大家都期盼着能早一天调回上海。

七月底的一天，厂部忽然通知我正式回上海工作，我大喜过望，没和任何人说，悄悄回宿舍整理行李物品。第二天清晨，一辆卡车停在宿舍门前，我和三个孩子上了车，到达湖州金婆弄的厂办事处，卸下行李还不到八点。天气太热，孩子们满头大汗，我则愉快地带他们去一家老店铺，吃有名的扁豆汤和千张包，权当早饭，游览了这座古老的小城。经历三年的困难时期，一九六二年经济逐渐恢复，市面逐渐兴旺起来，物价还算便宜。中午在人民路一家餐馆吃饭，我用剩余的湖州粮票买了一斤米饭，点了一个三元的红烧大鱼头。等端上桌一看，吓，好大一个鱼头！小脸盆一般，足有三斤多，烧得浓油赤酱，香气扑鼻，幸好多一个心眼，没点其他的菜，不然就要浪费了。四个人就着米饭，把它吃完。

下午上船，是舱内一条三人的长条椅，我把备好的小席子铺在地上，让兄弟俩睡，小冬睡椅子，我坐在旁边打瞌睡。入夜万籁俱寂，只有"突突"的柴油机声在船尾鸣响，小火轮划开平静的河水前行，月光照在水面上，泛起银光，孩子们都睡着了，我的心也像河水一样的平静，终于可以结束这颠沛流离的两地生活，和孩子们团聚在一起，回上海工作了，我们再也不会分离。清晨，船开进十六铺码头，远远看到维德在码头向我们挥手，我们分坐两辆三轮车回家了。

我回到上海，维德仍在厂驻沪办工作，户口仍留湖州。那个阶段，他一直在写申诉材料，写了不知多少的申诉书（至今留有底稿三份，一份十八页，一九六三年的一份有四十九页之多）。

这年，我先在建工局清仓办公室工作近三个月，十月份，我到中国建材公司华东分公司（后更名华东一级站）报到，单位在威海卫路太阳公寓内的一座洋房内，属国家物资总局建材局领导。计划经济时代，每年由全国生产企业上报产量，再由国家物资总局按计划分配给各大区，大区再分配给所属各省市，我单位负责华东六省一市的建材物资分配，我在综合计划科当副科长，任务繁杂，每月要把各业务科的计划总结综合成文字，上报物资总局，每年去京参加全国统配物质的计划分配大会，每次会期一个多月。

在华东一级站工作期间，一九六四年加了一次工资，我们俩工资共一百八十四元，在当时是中等以上收入水平。生活有改善，经济复苏，市场供应相对丰富，五元可买满满一竹篮小菜，鱼肉荤素俱全。我们带孩子去城隍庙和龙华寺，每逢周六，下班后我会在长乐路转角食品店，用糕点券买些饼干点心给孩子们。一九六五年添置了一台六灯三波段的飞乐牌收音机，花了一百多元。

一九六五年五月初，一级站开展"四清运动"。六月下旬，维德回沪——此时范达夫任建工局副局长，分管人事。他能调回上海，是和范的关心分不开的，他是我俩的恩人。

维德被安排在建工局技校当语文老师。地处上海郊区吴泾，每周在徐家汇搭校车回家一次，有寒暑假，休息时间增多了。他爱古诗词，当高中语文教师应是绰绰有余。每个周六常带一大叠作文本回家，逐字逐句批改，有时改一篇用很多工夫。学生们尊敬他，常上门请教。

维德告诉我，他到校第一天，同校教师刘厚泽就认出了他，称一九五三年听过他在水上区"民改"的报告。在以后的艰难岁月里，他们也一起被学校"监督劳动"。刘的祖辈刘鹗先生，曾被流放新疆，一九〇九年病死于迪化（今乌鲁木齐）。刘厚泽则是在一九七五年突发急性菌痢，校"工宣队"只许他去附近看病，不许去大医院，他领取工资返家时，死于沪郊一偏僻的公交车站上。

从一九六五年秋到一九七九年三月，维德在该校工作长达十四年之久，但真正的课堂时间，只短短两个学期。"文革"开始，情况大变，他再度陷入了人生的低谷。

十四年中的十年，他是在清扫厕所和写"交代材料"中度过的，也是他职业生涯中最长的一段经历。

一九六六年一月三日，青岛召开华东区建材业务会，会场在海边一幢船式的大楼，华东各省的建材公司报来的材料，我在会前都要看完，写开会第一天的发言稿。记得大会前夜，一直写到清晨两点才休息。青岛的冬天真冷，我得了感冒，第二天去看医生，还继续准备最后的总结报告。这次大会得到物资总局好评，但这也是我最后一次参加这类会议。海风刺骨，寒气逼人，我们将面临一场更大的风暴，经历人生中更为惊心动魄的磨难。

上　在京开会期间与同事们在长城留影，1963 年 11 月。

下　在京参加物资总局会议，时年 38 岁，摄于北京香山饭店，1965 年 11 月。这件灰色涤卡两用衫，在上海茂名南路一高级服装店买的，围巾是维德在 1958 年送我的，当时花了 8 元钱，我记得非常清楚，羊毛质地，红白黑相间的色彩条纹，我十分喜爱，至今还在使用，我会一直用它。

我 89 岁，2016 年，上海。

我们回望

我常常入神地观看他们的青年时代，想到属于自己的青春岁月……

家书

这本书用了三种不同的叙事。

第一章初稿于1990年代，借"伯父""伯母"写了我的父母。2013年我父亲去世，改为"我父亲""我母亲"，以《一切已归平静》发表在2014年《生活月刊》。

李小林老师看到此文，希望我继续这个题材，"肯定有内容写，即使稿子长也没关系"。李老师的热情，让我想起2002年去故乡黎里匆匆记下的那些片段。以后的几个月，我走进了本以为清晰，其实相当陌生的地方，远看一个普通的青年人，如何应对他的时代，经历血与牺牲，接受错综复杂的境遇和历史宿命，面对选择，从青春直到晚年，旁逸斜出，草蛇灰线，实在也是复述的一种周折，我常常瞻前顾后，下笔踟蹰，习惯被七嘴八舌的声音和画面切断……终以《火鸟——时光对照录》，刊于《收获》（2015 年第五期专栏"说吧，记忆"）。这次付梓，添加父亲大量书信、读书笔记，包括关于他特殊系统的资料，成为本书的第二部分。

父亲去世后，母亲不大愿意出门，去任何的地方，她都会想起我父亲，情绪很差。这段时期我常常问及往事，陪她翻看那些老相册（她不能再看父亲的近照），旧影纷繁，总牵起绵绵无尽的话头，直至有一天，我请她以这些照片为序，记下曾经的时间和细节。她认真做了起来，甚至到了废寝忘食的地步，近 90 岁的老人，半年内做了两大本剪贴，在梳理记忆的这段日子里，她变得沉静多了，仿佛只有回望，才是生命的价值。摆在眼前的图文，记录了一个上海普通女孩的时光之变，也使得本书的前两章，出现了"未完成"状态，显露了更复杂的对照。我几次提议是否可整理成书，她一直犹豫说，是给自家孩子们看的，是个人的私事……这部分以"口述实录"整理的文字，是本书第三章。

开头写到父亲与"堂兄"关系、提篮桥细节，到了第二部分"黎里·维德·黎里"，就是另一种解释——他们并不是共同被捕的，"堂兄"也不瘐死于监房，而是在宪兵医院跳楼就义，关押父亲的地点，不在提篮桥，是北四川路宪兵监狱（大桥公寓）。1940—1950年代，父亲数度入狱转狱，在母亲回忆的1950年代初，竟然他也在这座著名监狱短暂工作，因此前篇我笔误"提篮桥"，仿佛就是"言说与记忆"的某一种梦魇。包括母亲登上火车，被大舅拉回去关在家里一个月，也只有进入到她老人家的叙事范围里，才有更生动的演绎……我保留着这些局部不一致的痕迹，保留"在场感"的某种差池，是保留了"寻找"的姿态。

我常常入神地观看他们的青年时代，想到属于自己的青春岁月，1969年初，我去东北嫩江落户，在家信里多次描述大批犯人就在眼前割麦、整队押上高度戒备卡车的经历。但父亲的复信里，对这些我备感震惊的细节都不予回应，一直到了近期，看他1942年狱中通信、1953年调查监狱制度的报告，才有所了悟——我当年强调的那些景象，在他是完全清楚的，完全懂得这些内容；也包括一直到了最近，我才看清了母亲在她的青年时代，曾也和我当年那样，早起晚归，终日劳作，做了那么多繁重的农活。

他们的时代，有他们的"阅读"与"写作"，意味深长的词语重合。比如"浙西"，他们先后见到来自这特殊地方的人员；先后在不同时空里被"打手心"；先后去赫德路居士林"觉园"流连；在1938年杭州"国军"军训，或1950年华东军政治大学期间"打绑腿"——那些遥远的黎明时刻，天刚蒙蒙亮，他们先后在催促声中匆忙起身……我则是要延续到更晚的1970年，一般是半夜一两点钟，哨音大作，起床起床！紧急集合！！！黑暗中，睡眼惺忪中，穿衣穿鞋，整队报数集合，跑向了雪原，寒夜上空不时闪动信号弹的蓝光——这都是苏联特务潜入边境所为吗，但我们始终扑空，后据说终于有人找到了一种（空投？）定时发射装置……在无数黎明前那些难忘黑幕里，我们在雪中迅跑，吐出白绸一样的热气……

一些简单的词语，如频繁出现的"写交代""写申诉"，会油然融入到我少年时期的记忆碎片里，也重叠在杨德昌电影中的那位难忘的父亲身上，我一直记得在影片的"咝咝"声中，那个长期独坐不动的寂寞背影。

我曾借用小说对话，重现当年询问父亲的内容，问他为什么不去做工，为什么不做上海码头工人，如能这样，我家现在就是工人阶级成分了……

1987 年，父亲在《日瓦戈医生》封三的白页上写："……反映当时的动荡，饥饿、破坏、逮捕、投机分子和知识分子的沮丧，都是事实，但作家的任务是什么呢？知识分子决不是沮丧和黑暗的。"那个时期，我一直在写小说，我总觉得这些字是他为我写的，他一直对我的写作和以后的编辑职业忧心忡忡。

本书范围止于 1965 年，是考虑之后景况，有太多的共同经验——书中某些细部，实也溢出了篇幅，总之，三种记忆和叙事、引文、解释不厌其烦，包括极为繁复的编排过程，让我懂得，即便再如何拓展蔓生，作为个人，总徘徊于独自的情感和视野里——人与群的关系，人与史的碰触，仿佛一旦看清了某些细部，周遭就更是白雾浑茫……万语千言，人只归于自己，甚至看不清自己。

读到 1950 年代他们反复讨论家中开支的内容，我曾经问过母亲：为什么不卖掉那箱嫁妆？母亲睁大眼睛说：这怎么可以？根本不可能的，是想都不会想的事！！

确实如此，时代过去了，这种激烈表达，已少人能懂，卖出金银细软，当年必须提供详尽户籍资料和单位证明……这些特殊细部背景，非常容易风化，非常容易被遗忘。

　　记忆与印象，普通或不普通的根须，那么鲜亮，也那么含糊而赢弱，它们在静然生发的同时，迅速脱落与枯萎，随风消失，在这一点上说，如果我们回望，留取样本，是有意义的。

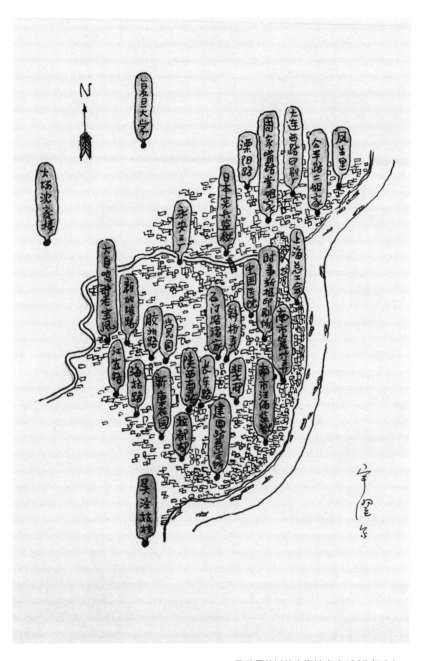

我父母住过的上海地点（1965 年止）。

图书在版编目（CIP）数据

回望／金宇澄著．—桂林：广西师范大学出版社，2017.1

ISBN 978-7-5495-6495-8

Ⅰ.①回… Ⅱ.①金… Ⅲ.①传记文学－中国－当代

Ⅳ.①I25

中国版本图书馆CIP数据核字（2016）第257052号

出品人：刘广汉
责任编辑：阴牧云　谭思灏
装帧设计：黄　越

广西师范大学出版社出版发行

（广西桂林市中华路22号　　　邮政编码：541001）
（网址：http：//www.bbtpress.com）

出版人：张艺兵
全国新华书店经销
销售热线：021-31260822-882/883
山东鸿君杰文化发展有限公司印刷
（山东省淄博市桓台县寿济路13188号　邮政编码：256401）
开本：890mm×1 240mm　　1/32
印张：11.125　插页：7　字数：144千字
2017年1月第1版　　　2017年1月第1次印刷
定价：49.00元

如发现印装质量问题，影响阅读，请与印刷单位联系调换。